Beschermengel

Van Danielle Steel zijn verschenen:

Hartslag*
Geen groter liefde*
Door liefde gedreven*
Juwelen*
Palomino*
Kinderzegen*
Spoorloos verdwenen*
Ongeluk*
Het geschenk*
De ring van de hartstocht*
Gravin Zoya*
Prijs der liefde*
Kaleidoscoop*
Souvenir van een liefde*
Vaders en kinderen*
Ster*
Bliksem*
Het einde van een zomer*
Vijf dagen in Parijs*
Vleugels*
Stille eer*
Boze opzet*
De ranch*
Bericht uit Vietnam*
De volmaakte vreemdeling*
De geest*
De lange weg naar huis*
Een zonnestraal*
De kloon en ik*
Liefde*
De reis*
Het geluk tegemoet*
Spiegelbeeld*
Bitterzoet*
Oma Danina*
De bruiloft*
Onweerstaanbare krachten*
De reis*
Hoop*
De vliegenier*
Sprong in het diepe
Thuiskomst*
De belofte*
De kus*
Voor nu en altijd*
De overwinning*
De Villa
Zonsondergang in St. Tropez
Vervulde wensen
Verleiding
Veilige haven

*In POEMA-POCKET verschenen

Beschermengel

SIJTHOFF

Voor meer informatie: kijk op **www.boekenwereld.com**

Tweede druk

Oorspronkelijke titel: *Johnny Angel*
Vertaling: Karst Dalmijn
Omslagontwerp: Karel van Laar

ISBN 90 245 4888 8
NUR 343

Voor Nicky, mijn engel,
Ik zal altijd van je blijven houden,
en je zult altijd in mijn hart zijn.
Mam.

En voor Julie,
die Nicky's engel was,
en ook mijn engel.

Ik weet dat ze nu samen zijn,
dat ze gelukkig zijn
en lachen,
en vol liefde en kattenkwaad zitten.
We zullen jullie twee heel erg missen,
tot we elkaar weer ontmoeten.

met alle liefde die ik in mij heb,
d.s.

I

Het was een stralende, hete junidag in San Dimas, een wat afgelegen voorstad van Los Angeles. Het ingewikkelde leven van het wereldse Los Angeles en Hollywood leek zich op lichtjaren afstand te bevinden, of leek zelfs niet te bestaan. Dit was een plek waar kinderen nog kinderen konden zijn op een warme zomerdag. Het schooljaar liep ten einde en de zomervakantie stond voor de deur. De leerlingen in het laatste jaar zouden binnenkort als vrucht van hun studie het diploma ontvangen, en over een paar dagen was het schoolbal. Johnny Peterson zou namens de eindexamenklas de afscheidsrede houden. Hij was de afgelopen vier jaar de ster van zowel de atletiekploeg als het American football-team geweest. Becky Adams en hij gingen nu vier jaar met elkaar. Ze stonden op de schooltrap te praten met een stel vrienden. Zijn lange, lenige lichaam helde een tikkeltje naar haar over en hun ogen ontmoetten elkaar van tijd tot tijd. Ze deelden hetzelfde, nauwelijks verholen geheim dat veel jongeren van hun leeftijd delen. Ze waren verliefd en waren het afgelopen jaar met elkaar naar bed geweest. Hun hele middelbare-schooltijd waren ze onafscheidelijk geweest. Een schoolliefde, jonge mensen die het vage en nog onuitgesproken plan hadden om in de verre toekomst als man en vrouw door het leven te gaan. Johnny zou in juli achttien worden en naar de universiteit gaan, Becky was in mei achttien geworden.

Zijn donkerbruine haar lichtte roodbruin op in de zomerzon, en het was of die glans in zijn donkerbruine ogen weerkaatst werd. Hij was lang, breedgeschouderd en atletisch, en had grote tanden en een volmaakte glimlach. Hij zag eruit zoals iedere jongeman er in zijn laatste jaar van de middelbare school graag zou willen uitzien, maar bijna niemand kon aan hem tippen. Bovendien was het een fantastische jongen en een aardige vent. Hij was altijd een goede leerling geweest, met een hoop vrienden. En hij had twee baantjes: in het weekend en wanneer hij niet hoefde te sporten. Zijn ouders moesten drie kinderen grootbrengen en hadden erg weinig geld. Dikwijls slaagden ze er amper in om de eindjes aan elkaar te knopen. Maar het lukte altijd. Hij had graag prof-football willen spelen en had daar het talent ook voor, maar hij had het verstandige besluit genomen om als beursstudent een administratieve opleiding aan de universiteit te gaan volgen; dan kon hij zijn vader helpen. Zijn vader runde een klein administratiekantoor en had nooit veel plezier gehad in zijn werk. Maar Johnny had er geen problemen mee en was een kei in wiskunde. Dat hij voortreffelijk overweg kon met de computer kwam ook heel goed van pas. Zijn moeder was verpleegster geweest. Ze had haar baan jaren geleden opgegeven om voor zijn jongere broer en zus te zorgen. Uiteindelijk bleek ze daar een dagtaak aan te hebben, zeker de laatste vijf jaar. Charlotte, zijn zus, was net veertien geworden en ging in het najaar naar de middelbare school. En Bobby van negen was een bijzonder geval.

In Becky's familie ging het minder geordend toe. Ze had twee broers en twee zussen, en hun leven had twee jaar geleden een behoorlijke knauw gekregen door de dood

van hun vader. Hij had in de bouw gewerkt en was om het leven gekomen bij een bizar ongeluk, het gezin in verwarring en geldnood achterlatend. Becky had na schooltijd twee baantjes en werkte hard. Ze hadden iedere cent die zij en haar oudste broer konden verdienen hard nodig. En in tegenstelling tot Johnny had ze geen studiebeurs gekregen. Ze was van plan hele dagen in de drogisterij te gaan werken – volgend jaar zou ze opnieuw proberen een beurs te krijgen. Eigenlijk vond ze het niet zo erg. Ze was niet zo'n studiehoofd als Johnny en vond het prettig dat ze eens even niet hoefde te blokken. Ze vond het leuk om te werken, was dol op haar twee broertjes en twee zusjes die nog thuis woonden, en was blij dat ze haar moeder kon helpen waar ze maar kon. Het bedrag dat de verzekering van haar vader had uitgekeerd was maar een schijntje, en ze hadden het al een hele tijd niet gemakkelijk. Johnny was het lichtpuntje in haar leven.
Zo donker zijn haar was, zo blond was het hare, en haar ogen waren zo blauw als de zomerhemel. Ze was een aantrekkelijk meisje en ze hield van hem.
Ze maakte zich een beetje zorgen over het feit dat hij naar de universiteit ging en daar andere meisjes zou ontmoeten, maar ze wist dat hij van haar hield. Iedereen in hun klas zei dat ze een ideaal stel waren. Ze waren altijd samen: altijd lachen, praten en grapjes maken. Ze waren altijd vrolijk en leken nooit ruzie te maken. Becky en Johnny waren niet alleen een stel, ze waren ook de beste maatjes. Dat was ook de reden dat Becky minder vrienden had dan ze anders misschien zou hebben gehad. Als ze maar even kans zagen zochten Johnny en zij elkaars gezelschap. Ze gingen samen naar school en zagen elkaar 's avonds als het maar even kon, na het

sporten, huiswerk en werk. En ze waren beiden zo plichtsgetrouw dat hun ouders niet langer klaagden over het feit dat ze elkaar zoveel zagen. Ze waren praktisch onafscheidelijk.

Ze stonden temidden van een groepje leerlingen uit het laatste jaar en iedereen praatte over de uitreiking van de diploma's en over het schoolbal. Ze hadden het niemand verteld, maar Johnny had haar jurk betaald. Zonder zijn steun had ze niet kunnen gaan. Ze keek glimlachend naar hem op. Vier jaar van liefde, intimiteiten en geheimen. En haar ogen leken te schitteren als vuurwerk toen ze hem aankeek.

'Ik ga jullie verlaten, mensen. Ik moet werken,' zei Johnny glimlachend tegen zijn vrienden. Hij werkte bij een houthandel in de buurt en hield zich bezig met het opmaken van de inventaris, het bijhouden van de voorraad en het zagen van hout. Hij was een harde werker en verdiende goed.

Becky had al een baantje bij de drogisterij waar ze binnenkort fulltime zou gaan werken. Haar tweede baantje – serveerster in een cafetaria vlak bij school – had ze zojuist opgezegd. Het zou een stuk makkelijker voor haar worden nu ze op maar één plek hoefde te werken. Johnny werkte in de weekends voor zijn vader, en na het huiswerk en sporten voor de houthandel. Gedurende de hele zomer zou hij hele dagen voor ze gaan werken om zoveel mogelijk geld te verdienen voor hij ging studeren. 'Becky, kom.' Hij pakte haar arm om haar weg te trekken bij de meisjes, die nog steeds stonden te praten over wat ze zouden aantrekken op het schoolbal, dat over twee dagen zou plaatsvinden. Voor de meesten van hen was het de afsluiting van een fase in hun leven, het hoogtepunt van een droom. Voor Becky en Johnny was het dat ook. Maar de spanning en de paniek die bij sommige anderen heersten, die zich afvroegen met wie ze moesten gaan, ontbrak bij hen volkomen. Hun verhouding gaf hun zelfvertrouwen en emotionele steun. Het had hun middelbareschooltijd er makkelijker op gemaakt.

Becky wist zich ten slotte van haar vriendinnen los te maken. Ze wierp haar lange blonde haar over haar schouder, en volgde Johnny naar zijn auto. Hij droeg hun beide rugzakken en gooide ze moeiteloos op de achterbank. Hij keek op zijn horloge. 'Wil je de kinderen ophalen?' Wanneer het maar even kon hielp hij haar daarmee. Hij was een van die mensen die het heerlijk vonden om anderen te helpen, iets wat hij dan ook vaak deed.

'Heb je er tijd voor?' vroeg ze ongedwongen. In bepaalde opzichten leek het of ze al getrouwd waren, en diep in hun hart wisten ze dat die dag ooit zou komen. Dat was nog een van die stilzwijgende geheimen die ze deelden. Ze waren samen opgegroeid en hadden zo'n hechte band dat het soms was of ze geen woorden nodig hadden.

'Natuurlijk heb ik tijd,' zei hij met een glimlach. Ze stapte in de auto en zette de radio aan. Ze hielden van dezelfde muziek, dezelfde mensen, hetzelfde eten. Ze vond het ontzettend leuk hem football te zien spelen. Hij vond het heerlijk om met haar te dansen en om urenlang met haar te bellen als hij klaar was met werken. Meestal reed hij 's avonds op de terugweg langs haar huis. En wanneer hij zijn huiswerk af had, belde hij haar altijd. Zijn moeder zei dat ze net een Siamese tweeling waren.

De school waar haar jongere broertjes en zusjes op za-

ten, bevond zich maar een paar straten verder. Toen ze er arriveerden hingen ze alle vier rond op het schoolplein. Becky zwaaide. De vier kinderen van het gezin Adams stormden met veel kabaal op hen af, en terwijl Becky zich vooroverboog, wurmden ze zich ongegeneerd in de auto op de achterbank.
'Hoi, Johnny,' zeiden beide jongens in koor. Peter van twaalf, de oudste, bedankte hem voor het meerijden. Het waren aardige, gezonde kinderen. Mark was elf, Rachel tien en Sandi zeven. Ze kwamen uit een warm nest, waar altijd leven in de brouwerij was, en twee jaar na zijn dood misten ze hun vader nog altijd. Het enige waar hun moeder de afgelopen twee jaar aan toegekomen was, was de kinderen achter hun vodden zitten en hard werken. Te hard. In de tijd die verstreken was na Mikes dood, was ze tien jaar ouder geworden. Haar vrienden zeiden almaar dat ze weer uit moest gaan, maar ze had hen aangekeken of ze gek waren en gezegd dat ze geen tijd had. Maar Becky wist dat dat niet de eigenlijke reden was. Haar vader was de enige geweest in het leven van haar moeder. Ze kon de gedachte dat ze een relatie zou aanknopen met een andere man niet verdragen. Ook die liefde dateerde vanaf de middelbare school.
Johnny zette Becky en de kinderen af. Ze gaf hem bij het uitstappen een vluchtige kus. Hij reed weg en zwaaide naar hen. Toen hij gas gaf en uit het straatbeeld verdween, liep ze met de kinderen naar binnen. Voor ze naar haar werk ging, zorgde ze dat de kinderen iets te eten en te drinken kregen. Ze wist dat haar moeder – die een plaatselijk instituut leidde dat opleidde tot schoonheidsspecialiste – over twee uur thuis zou komen van haar werk. Het was een aantrekkelijke vrouw. Haar leven was gewoon anders gelopen dan ze gedacht had.

Ze had nooit verwacht dat ze op haar veertigste alleen zou achterblijven met vijf kinderen.
Vier uur later stond Johnny weer bij Becky voor de deur. Hij zag er moe en gelukkig uit. Hij bleef lang genoeg om aan de keukentafel een boterham met haar te eten, met haar moeder te praten en de kinderen te plagen. Om halftien zat hij alweer in de auto, op weg naar huis. Hij maakte lange dagen.
'Ik kan niet geloven dat zo meteen de diploma's uitgereikt worden. Het is net of jullie vorig jaar nog vijf waren en de mensen met Halloween snoep aftroggelden.' Pam Adams schudde glimlachend haar hoofd en keek toe hoe het lange lichaam van Johnny zich losmaakte uit de stoel. Hij had in zijn eerste jaar basketbal gespeeld en was een goede speler geweest, maar uiteindelijk hadden American football en atletiek al zijn tijd opgeëist. Pam keek Johnny met een dankbare blik aan; het was een ontzettend aardige jongen. Ze hoopte dat Becky en hij op een dag zouden trouwen en dat hem een langer leven beschoren zou zijn dan haar man. Maar de jaren die zij en Mike samen hadden gedeeld waren zo goed geweest dat ze er geen moment spijt van had. 'Bedankt dat je een jurk voor Becky hebt gekocht,' zei ze zacht. Ze was de enige die het wist. Zelfs aan zijn vader en moeder had hij het niet verteld.
'Hij staat haar fantastisch,' zei Johnny kalm, een beetje verlegen onder de dankbare blik van Becky's moeder. 'Het wordt vast leuk.' Hij had ook een corsage voor haar besteld.
'Ik hoop het maar. Becky's vader en ik hebben ons op het schoolbal verloofd.' Het was niet bedoeld als hint, ze zei het uit heimwee. Het was overduidelijk dat het bij hen ook zo zou gaan, met of zonder ring.

'Tot morgen,' zei Johnny bij het weggaan, en Becky liep met hem mee naar buiten. Ze stonden naast zijn auto nog een poosje te praten, en hij nam haar in zijn armen en ze kusten elkaar. Het was een hartstochtelijke, emotionele kus, vol van alle gevoelens die ze deelden, en met de vitaliteit van de jeugd. Becky was buiten adem toen ze stopten.

'Je kunt maar beter gaan, voor ik je de bosjes in sleur, Johnny Peterson,' zei ze giechelig, met die glimlach van haar die hem na al die jaren nog steeds ontroerde.

'Dat klinkt veelbelovend. Alleen heb je kans dat je moeder een beetje van streek raakt,' plaagde hij. Geen van hun ouders wist hoe intiem hun relatie was, of liever gezegd: dat dachten ze. Toch hadden hun beide moeders het, zonder dat zíj het wisten, heel goed in de gaten. Pam had een keer een gesprek met Becky gehad en haar op het hart gedrukt voorzichtig te zijn. Het waren allebei verstandige kinderen en ze hadden, tot dusver tenminste, geen fouten gemaakt of in de rats gezeten. Becky was niet van plan om zwanger te raken voor ze getrouwd waren, en dat was nog een kwestie van jaren. Johnny moest eerst zijn studie afmaken, en zij ook. En zij zou komend jaar niet eens beginnen. Ze hadden geen haast, ze hadden alle tijd van de wereld. Hij stapte in zijn auto. 'Ik bel je nog,' beloofde hij. Hij wist dat zijn moeder op hem wachtte, hoogstwaarschijnlijk met wat eten, ook al had hij al bij Becky gegeten. En omdat hij geen huiswerk had, zou hij misschien wat kunnen ondernemen met de kinderen en zijn vader, afhankelijk van hoe het ervoor stond als hij thuiskwam.

Hij woonde maar drie kilometer van Becky vandaan en vijf minuten later was hij thuis. Hij reed de oprijlaan op en zette zijn auto achter die van zijn vader. Toen hij door de achtertuin liep zag hij Charlotte, zijn jongere zus. Ze was in haar eentje aan het basketballen, waarbij ze scoorde op de manier zoals hij dat altijd deed. Met haar grote blauwe ogen en haar blonde haar leek ze sprekend op haar moeder, en ze had ook wel iets van Becky. Ze droeg shorts en een topje, en haar benen waren bijna net zo lang als die van hem. Ze was lang voor haar leeftijd. En ze was mooi, maar dat kon haar eigenlijk niets schelen. Het enige waarvoor Charlotte warmliep, was sport. Ze stond ermee op en ging ermee naar bed: honkbal in de zomer; American football en basketbal in de winter. Ze speelde in ieder team waarvoor ze kon uitkomen. Een veelzijdiger allround sporter, man of vrouw, was Johnny nooit tegengekomen.

Hij ving de bal die ze hem toegooide. 'Hoi Charlotte, alles kits?' vroeg hij. Hij moest altijd glimlachen, omdat ze gooide als een vent. Ze had een buitengewone aanleg voor sport.

'O, goed,' zei ze met een vluchtige blik over haar schouder, nadat hij de bal had teruggegooid en ze gescoord had. Maar aan haar blik kon hij zien dat ze verdrietig was.

'Wat is er?' Hij sloeg een arm om haar heen en ze bleef een paar ogenblikken tegen hem aan staan. Hij voelde hoe intriest ze was. De laatste paar jaar leek ze ouder dan ze in werkelijkheid was. Voor een deel kwam dat door haar lengte. Maar ze was ook vroeg wijs.

'Niets.'

'Is pa thuis?' Maar dat wist hij al, hij had zijn auto zien staan. Johnny wist wat haar dwarszat. Het was niet nieuw voor hen, maar het deed na al die jaren nog steeds pijn.

'Ja.' Ze knikte en begon toen te dribbelen. Johnny keek een ogenblik toe en ontfutselde haar toen de bal. Ze speelden een poosje, om beurten scorend, en het frappeerde hem hoe goed ze was. In sommige opzichten was het jammer dat ze geen jongen was. En hij wist dat zij hetzelfde dacht. Bij bijna elke wedstrijd die hij tijdens zijn middelbareschooltijd had gespeeld, was zij zijn trouwe supporter geweest en had ze hem hartstochtelijk toegejuicht. Johnny was precies degene die ze graag had willen zijn. Een grotere held bestond er op deze wereld niet voor haar.

Er waren ruim tien minuten verstreken toen hij haar ten slotte alleen liet en naar binnen ging. Zijn moeder stond in de keuken de vaat af te drogen, terwijl broertje Bobby vanaf de keukentafel toekeek. Zijn vader zat in de woonkamer en keek tv.

Hij kuste haar op haar kruin. 'Hoi, mam,' zei hij. Ze glimlachte. Alice Peterson was dol op haar kinderen. Dat was altijd zo geweest. De gelukkigste dag van haar leven was de dag geweest waarop Johnny werd geboren. En zo voelde het nog steeds als ze naar hem keek.

'Hoi schat, hoe ging het vandaag?' Haar ogen schitterden toen ze hem zag, zoals elke avond. Ze had altijd een speciale band met hem gehad.

'Ik mag niet klagen. Maandag is de diploma-uitreiking en over twee dagen hebben we het afscheidsbal.' Ze moest lachen om wat hij zei, en Bobby keek toe.

'Je meent het. Dacht je soms dat ik dat was vergeten? Hoe is het met Becky?' Beide kinderen praatten al maanden nergens anders over.

'Goed.' Vervolgens richtte hij zijn aandacht op Bobby, die glimlachte toen zijn grote broer naar hem toe kwam.

'Hé, dag ventje, gaat het goed?' Bobby zei niets, maar

zijn glimlach verbreedde zich toen Johnny hem stevig over zijn bol aaide.
Johnny voerde hele gesprekken met hem, vertelde hem steeds alles over wat hij die dag had gedaan en vroeg altijd belangstellend hoe de dag van zijn kleine broertje was verlopen. Maar Bobby zei al vijf jaar niets, vanaf zijn vierde. Zijn vader en hij hadden een auto-ongeluk gehad. Hun vader was van een brug gereden, de rivier in. Het had weinig gescheeld of ze waren verdronken. Een voorbijganger had Bobby's leven gered. De jongen had twee weken op de intensive care gelegen. Hij had het ongeluk overleefd, maar hij had nooit meer iets gezegd. Niemand had tot nu toe kunnen ontdekken of er hersenletsel was ontstaan doordat hij te lang onder water had gelegen, of dat hij getraumatiseerd was. Geen enkele specialistische hulp, therapie of behandeling had mogen baten. Bobby was alert en belangstellend, en sloeg alles wat er om hem heen gebeurde nauwgezet gade, maar hij zei geen stom woord. Hij zat op een speciale school voor gehandicapten. Aan sommige activiteiten nam hij deel, maar hij leefde in een geïsoleerde, volstrekt eigen wereld. Hij kon schrijven, maar ook dat gebruikte hij nooit als communicatiemiddel. Hij schreef alleen maar woorden en letters over die anderen hadden geschreven. Hij gaf nooit antwoord op vragen, of ze nu mondeling of schriftelijk werden gesteld. Het was of Bobby niets meer te zeggen had. En had hun vader vroeger de neiging om iets te veel te drinken op feestjes, na het ongeluk was drank een verdovend middel voor hem geworden, dat hij iedere avond nam om maar niet te hoeven nadenken. Hij viel nooit, verslonsde niet, was niet agressief of gewelddadig. Hij zat gewoon voor de tv en werd iedere avond ongemerkt

dronken, en de oorzaak was overduidelijk. Zo was het nu eenmaal, en zo was het al vijf jaar.
Er werd nooit over gesproken. In het begin had Alice geprobeerd om er met haar man over te praten. Ze had gedacht dat het van tijdelijke aard zou zijn, net als Bobby's zwijgen. Maar alle twee waren ze er niet in geslaagd hun gebrek te overwinnen. Beiden zaten ze gevangen in hun eigen wereld, ieder op zijn manier. Bobby in zijn stiltekoepel en Jim in zijn bierroes. Makkelijk was het voor niemand, maar ze begrepen het nu, en accepteerden dat het niet zou veranderen. Ze had hem verschillende keren aangeraden om naar de AA te gaan, maar hij had haar simpelweg afgepoeierd. Hij vertikte het om zijn drankgebruik met haar of met anderen te bespreken. Hij ontkende zelfs dat hij dronk.
'Heb je honger, schat?' vroeg zijn moeder hem. 'Ik heb wat eten voor je bewaard.'
'Maak je geen zorgen. Ik heb bij de familie Adams een boterham gegeten,' zei hij, terwijl hij teder Bobby's wang streelde. Soms leek het of je door aanraking het meeste contact met hem had, en Johnny voelde zich dichter bij hem dan ooit. Ze hadden een band die onverbrekelijk was. Af en toe bleef Bobby hem, op zijn gebruikelijke woordloze manier met zijn reusachtige, liefhebbende blauwe kijkers volgen.
'Ik wou dat je eens hier at,' zei zijn moeder. 'Een toetje, wat denk je daarvan? We hadden appeltaart als dessert.' Het was zijn lievelingstaart, en als het maar even kon maakte ze die voor hem.
'Dat klinkt goed.' Hij wilde haar niet kwetsen. Soms at hij twee volledige maaltijden, een bij Becky thuis en een bij zijn moeder, gewoon om haar een plezier te doen.

Ze waren meer dan alleen maar moeder en zoon; ze waren maatjes.
Ze ging bij hem aan de keukentafel zitten. Hij at zijn appeltaart en Bobby keek toe. Johnny en zijn moeder babbelden over recente en komende gebeurtenissen: over Charlottes homeruns van die middag en over het afscheidsbal. De volgende dag zou hij zijn gehuurde smoking ophalen. Ze kon bijna niet wachten tot hij hem aanhad. Overdag had ze een fotorolletje gekocht, zodat ze een foto van hem kon nemen. En ze bood aan om een corsage voor Becky te kopen.
Johnny glimlachte. 'Ik heb er al een besteld,' zei hij. 'Maar toch lief dat je het aanbiedt.' Vervolgens zei hij dat hij aan de gang moest met zijn toespraak voor de diploma-uitreiking. Als woordvoerder van zijn klas moest hij de openingsspeech houden. Ze was onverholen trots op hem, en dat was al sinds zijn geboorte zo.
Op weg naar de trap bleef hij even in de woonkamer staan. De tv stond te schetteren en zijn vader lag te ronken. Het was het bekende liedje. Johnny zette de televisie uit en liep zonder lawaai te maken naar boven. Hij ging aan zijn bureau zitten en keek naar wat hij al geschreven had. Hij had de tekst nog steeds voor zich toen de deur zachtjes open- en weer dichtging. Hij draaide zich om en zag Bobby op zijn bed zitten.
'Ik ben bezig met een toespraak,' legde Johnny uit. 'Voor de diploma-uitreiking. Die is over vier dagen.'
Bobby zei niets, en Johnny hervatte zijn werk. Het gaf hem een prettig gevoel, gewoon dat Bobby daar zat, en zo te zien was Bobby blij om bij hem te zijn. Na een poosje ging Bobby liggen en staarde naar het plafond. Op zulke momenten drong de vraag zich op wat er in dat hoofdje omging. Herinnerde hij zich het ongeluk en

dacht hij daarover na? Was zijn zwijgen een weloverwogen beslissing, of was het iets waar hij niets aan kon doen? Je kwam er niet achter.
Het ongeluk had de afgelopen vijf jaar van ieder van hen zijn tol geëist. Aan de ene kant deden ze allemaal, zoals Charlotte en hij, hun best om, als tegenwicht voor het verdriet dat ze met z'n allen deelden, nog meer te presteren dan anders misschien het geval zou zijn geweest. Aan de andere kant hadden ze het opgegeven, zoals hun vader, die een hekel had aan zijn werk, een hekel had aan zijn leven, zichzelf iedere avond bewusteloos dronk en verteerd werd door schuldgevoelens. En Johnny wist dat zijn moeder het, op haar manier, ook had opgegeven. Ze had de hoop opgegeven dat Bobby ooit weer zou praten, of dat Jim zichzelf zou vergeven wat hij had gedaan. Ze was nooit kwaad op hem geworden, had hem nooit beschuldigd van roekeloos gedrag. Hij had een paar glazen bier op toen hij van de brug reed. Maar ze hóéfde hem nergens van te beschuldigen. Jim Peterson haatte zichzelf om wat hij had gedaan. Het was een van die drama's die niet teruggedraaid konden worden. Maar ze hadden het allemaal overleefd en hadden hun leven weer opgepakt. De dingen waren anders dan vroeger, en dat zou nooit meer veranderen. Zo was het nu eenmaal.
Johnny werkte nog een halfuur aan zijn toespraak, tot hij er tevreden over was, en ging toen naast Bobby op zijn bed liggen. Het kind lag vredig en zwijgend naast hem, terwijl Johnny zijn hand vasthield. Het was alsof de woorden en de gevoelens die ze met elkaar deelden via hun vingers gingen. Wat ze voor elkaar voelden ging woorden en klanken te boven. Ze hadden geen woorden nodig.

Zo lagen ze een hele tijd naast elkaar, totdat hun moeder naar boven kwam om Bobby te halen en tegen hem te zeggen dat hij naar bed moest. Hij knikte niet en in zijn ogen stond niets te lezen. Maar hij stond langzaam op, keek naar Johnny en liep toen kalm naar zijn kamer, terwijl zijn moeder volgde om hem in bed te stoppen. Ze had hem sinds het ongeluk geen dag alleen gelaten. Dag en nacht stond ze voor hem klaar. Ze nam nooit een oppas en ging nooit ergens heen. Haar hele leven draaide om hem. En de anderen hadden er begrip voor. Het was haar geschenk aan hem.

Het was elf uur toen Johnny eindelijk Becky belde. De telefoon ging over. Bij de tweede keer nam ze op. Haar moeder en de andere kinderen waren al naar bed, maar zij bleef altijd wachten op een telefoontje van Johnny, en hij verzuimde nooit haar te bellen. Ze vonden het leuk om voor het slapengaan nog wat te kletsen. En elke morgen als hij naar school ging haalde hij haar en de kinderen op. Zijn dagen begonnen en eindigden met haar.

'Hoi, schat. Hoe gaat het?' Hij glimlachte altijd wanneer hij met haar praatte.

'Goed. Mam is al naar bed. Ik zat net naar mijn jurk te kijken.' Hij hoorde de lach in haar stem en hij was blij voor haar. Het was een prachtige jurk en hij stond haar fantastisch. Ze was een beeldschoon meisje en hij prees zich gelukkig dat ze haar oog op hem had laten vallen.

'Je bent vast het aantrekkelijkste meisje van het bal,' zei hij, en ieder woord was gemeend.

'Dank je. Hoe is het daar bij jullie?' Ze maakte zich zorgen om hem. Ze wist van het probleem van zijn vader. Iedereen wist het. Hij was al jaren een stevige drinker.

Ze had ook te doen met Bobby. Het was zo'n enig joch. Charlotte vond ze ook erg aardig. Het was een echte wildebras, maar ze leek veel op Johnny. Ze was ontzettend slim en heel aardig, net als haar moeder. Het was een stuk moeilijker om contact te krijgen met zijn vader.

'Hetzelfde als altijd. Papa die bewusteloos voor de tv zit en Charlotte die een wat verdrietige indruk maakt. Ze wil aldoor dat hij komt kijken als ze een wedstrijd speelt, maar hij komt nooit. Mam heeft me verteld dat Charlotte vandaag twee homeruns heeft geslagen, maar het lijkt wel of het mijn zus pas iets kan schelen als papa het weet. Als ik speelde kwam hij altijd, maar ik vermoed dat hij vindt dat het bij meisjes anders ligt. Mensen kunnen soms zo'n plank voor hun kop hebben.' Het deed hem verdriet dat hij daar geen verandering in wist te brengen. Hij had geprobeerd om er met zijn vader over te praten, maar het was of het niet tot hem doordrong, alsof het hem niet kon schelen. Dus als het even kon ging Johnny zelf maar kijken als Charlotte een wedstrijd speelde. 'Ik heb mijn speech af. Ik hoop dat het goed gaat.'

'Het gaat vast hartstikke goed, dat weet je zelf ook wel. Wat zal ik straks trots op je zijn,' zei ze, en ze meende ieder woord. Het verdriet in beide gezinnen was groot genoeg geweest om praktisch alle aandacht van hun moeders op te eisen. Becky en Johnny gaven elkaar de steun en zekerheid die ze nodig hadden, de steun en zekerheid waarvoor hun ouders niet langer tijd hadden. Het maakte deel uit van de hechte band die er tussen hen bestond. In zekere zin hadden ze alleen elkaar, ondanks broers, zussen, ouders en vrienden. Ze gaven elkaar iets wat niemand anders hun kon geven.

'Tot morgen, schat.' Ze hadden aan weinig woorden genoeg en vonden het gewoon prettig om elkaars stem te horen voor ze gingen slapen.
Ze zat in haar nachtjapon bij de telefoon in de keuken en dacht aan hem. 'Ik hou van je, Johnny,' zei ze teder.
'Ik ook van jou, schat. Slaap lekker.' Ze legden neer en Johnny liep langzaam de trap op, naar zijn kamer. In huis was alles stil.

2

'Wauw! Je ziet er schitterend uit!' zei Alice Peterson stralend toen haar zoon in zijn gehuurde smoking de trap af kwam. Hij was een lange, donkere en knappe verschijning met zijn geplooide witte overhemd en zijn smoking. Het jasje stond hem buitengewoon goed. Een witte roos zat vastgespeld op zijn revers. 'Je lijkt wel een filmster.' Hij zag eruit of hij ging trouwen, maar dat zei ze niet tegen hem. Wat was het toch een opvallend knappe jongeman!
Hij haalde Becky's corsage van witte rozen uit de koelkast. Hij stond in de gang met de doorzichtige plastic doos in zijn handen toen Charlotte met sprongen de trap af kwam en stilhield met een brede grijns op haar gezicht. Ze had een basketbal in haar handen, zoals gewoonlijk.
'Hoe vind je dat je broer eruitziet?' vroeg hun moeder met een blik van trots. Haar dochter schaterlachte.
'Als een malloot,' zei ze recht voor z'n raap. Johnny lachte.
'Bedankt, zus. Als jij straks naar het afscheidsbal gaat, zul je er net zo mallotig uitzien. Ik kijk er al naar uit! Waarschijnlijk heb je dan een basketbal bij je, of je honkbalhandschoen aan. Het zou me niets verbazen als je erheen gaat met noppen onder je schoenen, als er tegen die tijd nog niets veranderd is.'
'Ja, dat zou best kunnen.' Ze keek hem aan met een brede grijns. 'Ach, ik denk dat je er wel goed uitziet,'

gaf ze toen verlegen toe. En net als haar moeder leek ze trots op hem te zijn.
'Hij ziet er veel beter uit dan "wel goed",' zei hun moeder. Ze ging op haar tenen staan en gaf hem een zoen, terwijl Bobby uit de keuken kwam gelopen en naar hen staarde. Voor Johnny kon protesteren maakte zijn moeder snel twee foto's van haar oudste zoon.
Johnny wendde zich tot Bobby, die het tafereeltje met belangstelling volgde. 'Hoe vind je dat ik eruitzie, kleine kampioen?' zei hij zonder op een reactie te wachten. Hun vader was nog niet thuis. 'Het is beter dat ik nu Becky ophaal, anders komen we nog te laat,' voegde hij eraan toe. Terwijl zijn moeder en zus hem bewonderend nakeken, liep hij naar de deur. Daar draaide hij zich om voor een laatste groet. Even later hoorden ze hem wegrijden.
Becky wachtte aan de voorkant van het huis op hem. Ze zat op de veranda en droeg de wit satijnen strapless jurk die hij voor haar had gekocht. Die zat als gegoten, maar was toch niet te strak. Een van haar zussen had gezegd dat ze eruitzag als een sprookjesprinses. Ze had haar lange blonde haar in een paardenstaart. Haar voeten waren gestoken in de wit satijnen pumps die ze zelf had gekocht. Johnny speldde haar de corsage van witte rozen op, en ze schonk hem een bewonderende glimlach. Toen boog hij zich voorover en kuste haar, en haar broertjes, die in de buurt stonden, gilden en joelden. Haar moeder kwam uit de keuken en glimlachte naar hen.
'Het is net of jullie uit een tijdschrift zijn gestapt,' zei Pam Adams met een liefdevolle grijns. Becky zag er die avond aantrekkelijker uit dan ooit, en Johnny zou je ouder schatten dan zijn bijna achttien jaar. 'Amuseer

je, kinderen. Een ander afscheidsbal komt er niet. Eens zal het een waardevolle herinnering zijn... Geniet van iedere minuut en maak er een onvergetelijke avond van.'
Ieder ogenblik leek haar nu kostbaar. Het leven had haar het blijvende besef bijgebracht dat er uiteindelijk niets anders overbleef dan herinneringen.
'Dat zullen we zeker, mam,' zei Becky. Bij het weggaan gaf ze haar een kus op haar wang.
'Rij voorzichtig,' maande Pam hun, en Johnny beloofde dat hij dat zou doen. Hij reed altijd voorzichtig. Hij was verstandig en had verantwoordelijkheidsgevoel, en ze had zich nooit zorgen over hem gemaakt. Ze zei het zomaar.
Ze troffen een stuk of wat vrienden in een nabijgelegen restaurant. Iedereen was in een opperbeste stemming. De meisjes bewonderden elkaars jurken. Ze droegen allemaal net zulke corsages als Becky. De jongens droegen rozen op hun revers. Allen zagen er jong, gelukkig en opgetogen uit, en toen ze om kwart over acht naar het bal vertrokken, zat de stemming er bij iedereen goed in. Een stelletje dat met een andere auto gekomen was, besloot met hen mee te rijden. Om negen uur waren ze op het bal.
Voor iedereen was het een ontzettend leuke avond. Het grootste gedeelte van de tijd speelde er een band en in de pauzes trad een van de laatstejaars op als diskjockey. De muziek was goed, er was van alles te eten, en maar een paar van hun vrienden dronken stiekem sterkedrank en bier. De meeste leerlingen hoefden niet zo nodig te drinken. Het was een opwindende avond, de gebruikelijke romances ontloken, er waren een paar kleine ruzies en er ontstond maar één vechtpartij tussen twee herrieschoppers, maar die werd snel de kop

ingedrukt. De avond verliep zonder noemenswaardige incidenten en gebeurtenissen, en om middernacht, toen het dansen was afgelopen, stond iedereen buiten om te overleggen waar ze nu heen zouden gaan. Vlakbij was een hamburgertent, die bij iedereen populair was en die de hele nacht open was. Een aantal jongens besloot om naar een plaatselijke bar te gaan en hun valse identiteitsbewijzen uit te proberen.
Johnny en Becky hadden bijna de hele avond gedanst, met vrienden gepraat en bijna iedereen in het voorbijgaan gedag gezegd. En na afloop stonden ze klaar om naar Joe's Diner te gaan voor een hamburger en een milkshake. Ze vroegen het stel van de heenreis of ze mee wilden rijden. Toen ze om halfeen van school wegreden, werden ze met grote snelheid ingehaald door een cabriolet. De auto zat vol jongens van het footballteam, die kushandjes wierpen naar de meisjes. Ze claxonneerden als bezetenen en riepen naar Johnny. Ze vroegen of hij een wedstrijd wilde houden, maar hij schudde grijnzend van nee. Hij hield er niet van om dergelijke spelletjes te spelen, zeker niet op een avond als deze, en met twee meisjes in de auto. En terwijl hij goedhartig op de claxon drukte, stoven ze hem voorbij in de cabriolet en scheurden bij het volgende kruispunt de bocht om, op weg naar de enige bar in de stad die een oogje toekneep bij het schenken van alcohol aan minderjarigen.
Toen ze bij het kruispunt kwamen, zat Becky te praten met het andere meisje. Ze lachten en roddelden over hun vrienden. Het licht sprong op groen en Johnny reed rustig het kruispunt op. Hij was net de jongen op de achterbank een verhaal aan het vertellen over een van de knapen uit het footballteam, toen hij ineens luid ge-

toeter en gierende banden hoorde, en in een flits iets zag vanuit zijn ooghoeken. Hij keek en zag de cabriolet op hem af komen, dezelfde die hem nog maar een paar minuten geleden gepasseerd was. Ze reden bijna honderddertig en terwijl hun cabriolet brullend langs de andere auto's scheurde, gingen ze als dollen tekeer. Johnny trapte stevig op de rem, maar besefte toen opeens dat hij niet tijdig kon stoppen. Om de aanstormende auto te ontwijken, gooide hij het stuur om en kwam op de andere weghelft terecht, waar ook verkeer naderde. Becky gilde.

Wat er daarna gebeurde kon niemand zich achteraf meer te herinneren. Plotseling was er een botsing en een enorme schok, gevolgd door een explosie van glas en het geluid van metaal op metaal. Een van de meisjes zei later dat het had gevoeld alsof ze tegen een muur botsten. Ze waren onmiddellijk omgeven door toeterende, tollende, alle kanten uit schietende auto's. De cabriolet was midden in de chaos tot stilstand gekomen. De jongens die erin zaten, werden met kracht naar buiten geslingerd en kwamen terecht op de daken van andere auto's en op straat. Alleen de bestuurder bleef in de auto achter. De wagen van Johnny draaide als een tol. Hij had alles gedaan om te stoppen, maar de auto kwam pas tot stilstand toen hij ten slotte klem zat tussen de middenbermbeveiliging en een passerende vrachtwagen. Toen heerste er overal stilte. Een getuige vertelde later dat Becky's jurk bedekt was geweest met bloed, dat de voorruit op verfrommeld cellofaan had geleken, en dat er vanaf de achterbank een zacht gekreun had geklonken. Becky was bewusteloos en Johnny's hoofd lag op het stuur.

Ze hadden allemaal hun veiligheidsriemen nog om. De

stilte leek eindeloos, totdat er uiteindelijk een man met een zaklantaarn verscheen en in de auto tuurde. Terwijl hij de lantaarn op de inzittenden richtte, hoorde hij op de achterbank iemand huilen. Op dat moment hoorde hij in de verte het geluid van ziekenwagens. Hij was bang om iemand aan te raken. Hij trok zich terug en keek hoe de mensen langzaam uit hun auto's klommen. Er zaten al een stuk of wat mensen langs de kant van de weg, verdoofd en met bloed bedekt. Er waren vijf auto's en een vrachtwagen betrokken geweest bij het ongeluk, en iemand zei dat de vrachtwagenchauffeur dood was. Veel meer kon hij de ambulancebroeders die uit de ziekenauto stapten niet vertellen.
'In die auto zit een stel gewonde tieners,' zei de man met de zaklantaarn, en hij wees naar de auto van Johnny. 'Maar ik hoorde iemand huilen... Ik denk dat het allemaal wel meevalt.' Hij liep terug naar zijn auto en de broeders haastten zich naar de auto van Johnny. Ondertussen waren er nog twee ziekenauto's gearriveerd, en een reddingsteam van de brandweer. Al snel zag je overal zwaailichten. Ambulancebroeders inspecteerden de auto's, verlosten mensen uit hun wagens en legden verbanden aan. In een mum van tijd lagen er vijf lichamen afgedekt met zeildoek langs de kant van de weg, onder wie de vrachtwagenchauffeur. Een ambulancebroeder hielp Becky uit de auto. Ze zat op de passagiersplaats en maakte een versufte indruk. Ze had een jaap aan de zijkant van haar gezicht en er vielen bloeddruppels op haar jurk. Een andere broeder trok behoedzaam Johnny van het stuur en voelde zijn pols. De jongen en het meisje op de achterbank stapten uit aan de kant waar Becky was. Ze waren overstuur, maar bleken niets te hebben. Terwijl de drie an-

deren meegingen, scheen de broeder met een lampje in Johnny's ogen en controleerde opnieuw zijn hartslag. Hij keek naar het gezicht van de knappe jongeman in zijn smoking. Die had een enorme bult op zijn hoofd, en de broeder zag onmiddellijk dat hij zijn nek had gebroken. Hij legde het hoofd van Johnny weer voorzichtig tegen de rugleuning en gebaarde naar een van de brandweerlieden, die kwam aangesneld om te helpen.

'De jongen achter het stuur is dood,' zei hij zacht, zodat de anderen het niet zouden verstaan. Hij gebaarde dat er een brancard moest komen om hem af te voeren. Ze schoven hem uit de auto en bedekten hem. Becky draaide zich net om toen ze hem wegdroegen.

'Wat doen jullie? Waarom doen jullie dat?' gilde ze naar hen. 'Haal dat ding van zijn gezicht!' En ze rende naar hen toe, terwijl het bloed over haar bedorven jurk liep. Het hele lijfje was nu rood. Ze rende naar Johnny's levenloze lichaam en probeerde het zeildoek dat hem bedekte weg te rukken Maar een van de ziekenbroeders trok haar weg. Huilend probeerde ze zich uit alle macht aan zijn greep te ontworstelen.

'Kom eens hier,' zei hij rustig. 'Alles is in orde... Kom, ga even zitten... We brengen je naar het ziekenhuis.' Hij hield haar armen stevig vast, maar ze was hysterisch. Snikkend klauwde ze naar hem en ze probeerde wanhopig los te komen. 'Ik wil naar Johnny... Ik moet... Ik moet...' Ze snakte naar adem en stikte bijna in haar tranen. Een van de brandweerlieden troostte haar en hield haar in zijn armen. 'Dat is Johnny... Hij kan niet... Het kan niet... O, god... laat het niet waar zijn.' Ze zakte langzaam op het wegdek ineen. De brandweerman pakte haar op alsof ze een veertje was

en legde haar in de ziekenauto. Even later reden ze met grote snelheid weg.
Het duurde twee uur voor alles was opgeruimd en iedereen op weg was naar huis of naar de dichtstbijzijnde eerstehulppost. Mensen belden hun ouders, politieagenten gaven jongelui een lift en alle zes de lichamen werden naar het lijkenhuis gebracht. En drie politieagenten en een agent van de verkeerspolitie maakten een onderlinge verdeling van de adressen waar ze heen moesten om het slechte nieuws te brengen. De vrachtwagenchauffeur kwam uit een andere staat. Het enige dat ze hoefden te doen was het expeditiebedrijf in kennis stellen. Dat zou dan voor de rest zorgen.
De agent die naar het adres van Johnny ging, kende hem. Een dochter van hem zat bij Charlotte in de klas. Het was niet de eerste keer dat hij een dergelijke pijnlijke taak op zich nam, en hij vreesde datgene wat hij zou lezen op het gezicht van de moeder. Hij wist wat een geweldige vent Johnny was. Hij belde aan. Het was drie uur 's nachts en hij moest nog een keer bellen. Ten slotte werd de deur geopend door Jim Peterson. Hij droeg een pyjama, en Alice stond achter hem in een oude nachtjapon. Er verscheen angst in hun ogen zodra ze de politieman zagen.
'Is er iets gebeurd, agent?' Ze hadden nooit problemen gehad met Johnny en het was moeilijk te geloven dat hij nu gearresteerd was. Ze vroegen zich af of hij betrapt was op te hard rijden of dat ze hem hadden aangehouden wegens dronkenschap. Maar geen van beide mogelijkheden leek plausibel.
Hij richtte zich tot beiden. 'Ik ben bang van wel,' zei hij. 'Mag ik binnenkomen?' Hij vroeg het voorzichtig. Ze deden een stapje opzij en hij liep naar binnen, de

woonkamer in. Daar bleef hij staan. Zijn gezicht stond ernstig. 'Er is een ongeluk gebeurd,' zei hij. Alices adem stokte en ze greep instinctief Jims arm. 'Uw zoon Johnny is daarbij om het leven gekomen. Het spijt me vreselijk, mevrouw... meneer Peterson... Er waren zes auto's bij de botsing betrokken en er is een aantal doden te betreuren. Ik vind het echt vreselijk dat een van hen uw zoon is.'
'O, mijn god...' zei Alice. Ze deed nog een poging om uit haar woorden te komen, maar voelde hoe ze overspoeld werd door paniek. 'O, mijn god... Nee... dat kan niet... Bent u er zeker van dat het geen vergissing is?' Jim had tot nu toe geen woord gezegd, maar de tranen stroomden over zijn wangen.
'Een andere auto is op hun auto gebotst en daardoor raakten ze bekneld tussen de middenbermbeveiliging en een vrachtwagen. Volgens mij had uw zoon niets kunnen doen om het ongeluk te vermijden. Het is vreselijk als er op zo'n manier jonge levens verloren gaan. Ik weet hoe u zich moet voelen.' Alice wilde zeggen dat hij daar helemaal geen idee van had, maar ze kon niets uitbrengen. Het duizelde haar en ze voelde zich leeg. De politieman hielp haar op een stoel. 'Zal ik een glas water voor u halen, mevrouw?' Zonder iets te zeggen schudde ze haar hoofd. De tranen liepen haar over de wangen.
'Waar is hij nu?' wist ze ten slotte met hese stem uit te brengen, met het beeld voor ogen dat hij ergens langs de kant van de weg lag, of in zijn auto. Ze wilde hem in haar armen houden, of samen met hem sterven. Haar hoofd tolde.
'Ze hebben hem naar de districtslijkschouwer gebracht. U zult het nodige moeten regelen en wij zullen alles doen

om u te helpen.' Ze knikte weer. Jimmy Peterson liep met knikkende knieën de keuken in en kwam terug met iets te drinken. Het zag eruit als water, maar het was pure gin. Aan de angst in zijn ogen kon Alice zien wat het was. Hij maakte een panische indruk, en ook zij voelde grote paniek.

De agent bleef nog een halfuur bij hen. Toen ging hij weg, na nog een keer gezegd te hebben hoe erg hij het vond. Tegen die tijd was het al vier uur in de ochtend. Alice en Jim zaten in hun woonkamer, staarden elkaar aan en wisten niet wat ze moesten zeggen of doen. Ten slotte nam hij haar in zijn armen, en naast elkaar zaten ze op de bank te huilen. Urenlang zaten ze zo, en ze gaf geen commentaar toen hij opstond om nog een borrel te pakken. Ze wenste bijna dat ook zij daarin troost zou kunnen vinden. Er was niets om haar te troosten, om de klap te verzachten, en toen de zon opkwam had ze het gevoel of het einde van de wereld nabij was. Dat het weer een stralende dag was, maakte het extra wrang. Ze kon zich de wereld, haar leven, niet voorstellen zonder Johnny. Nog maar een paar uur geleden was hij in zijn smoking het huis uit gestapt met een roos op zijn revers. En nu was hij er niet meer. Het was een leugen, hield ze zichzelf voor. Het kon niet waar zijn. Het was een gemene streek die iemand met hen uithaalde. Elk moment kon hij lachend in de deuropening staan. De agent had hun verteld dat Becky er met slechts een snee in haar wang vanaf gekomen was en dat het andere stel in de auto geen schrammetje had. Johnny had de klap opgevangen en het noodlot had hem van hen weggenomen. Ze waren opgelucht dat de anderen ongedeerd waren, maar het leek erg oneerlijk dat Johnny het leven had verloren, en dat nog wel door de fout van een

ander. Hij had nooit onvoorzichtig of roekeloos gedrag vertoond, had nooit dronken achter het stuur gezeten, had nooit iets gedaan waardoor hij dit lot verdiende. Hij was altijd een prachtvent geweest, de ideale zoon, ieders held en vriend. En nu was hij er niet meer. Zeventien was hij nog maar geweest.
Pam Adams belde hen om zeven uur. Ze zaten nog steeds in de woonkamer. Tegen die tijd had Jim genoeg gin op om wat onsamenhangende woorden uit te brengen. Alice Peterson nam op en toen ze Pams stem hoorde barstte ze in tranen uit.
'O, mijn god, Alice, wat spijt dit me,' zei Pam. Ook zij huilde. Ze had Becky net opgehaald uit het ziekenhuis. Een plastisch chirurg had de wond op haar gezicht gehecht en gelukkig hadden ze haar verdoofd. Hij had gezegd dat ze er geen zichtbaar litteken aan over zou houden, maar ze was ontroostbaar geweest omdat ze Johnny hadden meegenomen en ze had aan één stuk door gehuild. Ze weigerde te geloven dat hij dood was. 'Ik heb vreselijk met jullie te doen, met allemaal... Als ik jullie kan helpen?' Pam herinnerde zich hoe het was geweest toen Mike was omgekomen. Het was onbegrijpelijk geweest, een ondraaglijke schok en een ondraaglijke treurnis. En op de een of andere manier had ze het gevoel dat dit nog erger moest zijn nu het om een zoon ging. 'Zal ik komen om te helpen met de kinderen?'
'Ik weet het niet,' zei Alice. Ze klonk verward. Het was niet te bevatten wat hun zojuist was overkomen. En ze moest de andere kinderen nog vertellen dat Johnny dood was. Ze wist zich geen raad. Ze kon zich niet eens voorstellen dat ze de woorden over haar lippen zou krijgen.

'Laat me nou maar komen, dan ben ik er over een paar minuten,' drong Pam aan. Ze wist hoe belangrijk het was om op dit soort momenten vrienden om je heen te hebben. Bovendien moest er nog veel geregeld en gedaan worden. Ze moesten hem naar een uitvaartcentrum brengen, een kist en een rouwkamer voor hem uitzoeken, zijn kleren uitkiezen, een overlijdensbericht opstellen en de bezoekuren regelen. Verder moesten ze met hun kerk de bijzonderheden van de begrafenisdienst bespreken, een plekje op het kerkhof uitzoeken en de eigenlijke begrafenis regelen. Daarnaast moesten ze nog proberen om over de schok heen te komen en hun verdriet te verwerken. Niemand die beter wist dan Pam hoe ongelooflijk moeilijk dat was. Ze wilde alles doen om te helpen. En ze maakte zich ook zorgen om Becky. Het zou buitengewoon zwaar voor haar zijn om dit leed te dragen. Een onmogelijke opgave, voor iedereen, ongeacht de leeftijd.

Twintig minuten later was Pam er. Jim ging zich aankleden. Pam zat een tijdje met haar armen om Alice heen; daarna zette ze koffie. De twee vrouwen zaten in de keuken te huilen en te snotteren toen een uur later Charlotte de trap af kwam. Ze droeg een korte broek en een T-shirt, en haar haar zat in de war.

'Hoi, mam,' zei ze slaperig. Ze keek naar de twee huilende vrouwen die elkaars hand vasthielden en zag meteen dat er iets verschrikkelijks was gebeurd. In een oogwenk veranderde haar gezicht van uitdrukking. 'Wat is er gebeurd?' vroeg ze angstig.

Haar moeder keek haar met een wanhopige blik aan. Zwijgend liep ze de keuken door en sloeg haar armen om haar heen.

'Mam, wat is er? Wat is er gebeurd?' Het was een moment in haar leven waarop ze met absolute zekerheid wist dat alles wat ze wist, alles wat ze liefhad, alles waar ze op vertrouwde het volgende moment zou veranderen.

'Het gaat om Johnny... Hij heeft een ongeluk gehad... na het feest... Hij is dood,' zei haar moeder met verstikte stem, en toen Charlotte dat hoorde klonk uit haar keel een langgerekte wanhoopskreet.

'Nee... Nee... Mama... alsjeblieft...' Ze klampten zich aan elkaar vast en huilden. Pam keek naar hen en huilde zachtjes. Ze wilde er voor hen zijn, maar wilde zich niet opdringen. Even later kwam Jim binnen. De invloed van de drank was weer verdwenen. Het enige dat Alice op zijn gezicht las, was ontzetting. Ze zaten allemaal bij elkaar en huilden geruime tijd. Ten slotte ging Alice naar boven, naar Bobby's kamer. Hij was wakker, maar was blijven liggen, zoals hij zo af en toe deed. Maar ze had het idee dat hij aanvoelde dat er vandaag iets mis was, dat hij zich ervoor verborg. Maar zelfs zijn stomheid bood onvoldoende bescherming tegen deze afschuwelijke gebeurtenis.

Zijn moeder ging op de rand van zijn bed zitten, trok hem naar zich toe en hield hem in haar armen. 'Ik moet je iets heel verdrietigs vertellen,' zei ze. 'Johnny is heengegaan... om in de hemel te zijn, bij God... Hij hield heel veel van jou, schat,' zei ze huilend, terwijl ze het kind vasthield. Ze voelde hoe hij beefde, en toen verstarde in haar armen, maar hij zei niets. En toen ze zich oprichtte om naar hem te kijken, zag ze dat hij huilde, geluidloos, wanhopig, net zo gebroken als de rest van het gezin. De broer die hij verafgoodde, was van hem weggenomen. Hij had alles begrepen, en bleef maar huilen terwijl Alice hem aankleedde. Ze hielden elkaars

hand vast toen ze de trap af gingen, en de rest van de dag ging voorbij in doffe pijn.
Jim en Alice gingen naar de lijkschouwer, Pam bleef bij Bobby en Charlotte. Alice kermde van verdriet toen ze haar zoon zag en nam hem in haar armen. Jim moest haar uiteindelijk bij hem wegtrekken. Vervolgens gingen ze naar het uitvaartcentrum om wat dingen te regelen. Het was na lunchtijd toen ze weer thuis waren. Pam had stilletjes middageten voor iedereen gemaakt. Charlotte zat zwijgzaam in de achtertuin en Bobby was boven in zijn kamer.
's Middags was het op het nieuws en mensen begonnen te bellen, kwamen langs en brachten eten. Becky kwam op bezoek. Ze zag er vreselijk uit. Haar gezicht was bleek en het verband leek enorm. De hele tijd dat ze daar was moest ze huilen. Pam nam haar ten slotte mee naar huis. Becky zei telkens weer hoe vreselijk ze het vond en dat ze zonder hem niet kon leven, wat het verdriet van de anderen alleen maar weerspiegelde.
De volgende dag was in zekere zin nog afschuwelijker, omdat de gebeurtenis met ieder uur dat verstreek reëler werd. 's Avonds gingen ze naar het uitvaartcentrum, en de volgende dag was de rouwkamer die ze hadden uitgekozen vol met vrienden, familieleden en andere jongelui. Die dag zou hij zijn diploma hebben gekregen en ze hadden over hem gepraat. Er was een moment stilte gehouden en iedereen in de aula had gehuild om wat het gezin was overkomen.
De begrafenis had op dinsdag plaatsgevonden en Alice was nog nooit in haar leven zo verdrietig geweest. De plechtigheid was grotendeels aan haar voorbijgegaan. Ze herinnerde zich alleen de bloemen, het geluid van zingen ergens in de verte en het staren naar de punten

van haar schoenen. De hele tijd had ze Bobby's hand stevig vastgehouden. En Charlotte had tranen met tuiten gehuild. Jim had er wezenloos bij gezeten en had ook gehuild. De rector van de school en Johnny's beste vriend hadden een toespraak gehouden bij de begrafenis. En de dominee had een prachtige lofrede gehouden, waarin hij had geschetst wat een bijzondere jongen hij was. Hoe intelligent, hoe vriendelijk, hoe fantastisch, hoe populair. Maar die woorden waren niet voldoende om de pijn te temperen. Niets kon de ondraaglijke pijn verzachten die iedereen voelde. Niets kon het feit veranderen dat Johnny dood was.
Ze lieten hem achter op het kerkhof. Eenmaal thuis hadden alle leden van het gezin Peterson het gevoel alsof de wereld had opgehouden te bestaan. Niets bood meer troost; er was niets meer om warm voor te lopen of om naar te streven. Hij was van het ene op het andere moment van hen weggenomen. Te snel. Te vroeg. Te veel verdriet. Te overweldigend en smartelijk om te kunnen dragen. En toch moest het leed gedragen worden, of ze zich er nu tegen opgewassen voelden of niet. Ze moesten erdoorheen, ze moesten verder zonder hem. Er was geen andere keus.
Die avond huilde Charlotte net zo lang tot ze in slaap viel. Bobby lag stil en eenzaam in zijn kamer. Hij had ook de hele dag gehuild, en nu was hij uitgeput en viel hij ten slotte in slaap. Alice en Jim zaten beneden en staarden voor zich uit. Ze dachten aan hun zoon en worstelden met het onvoorstelbare gegeven dat hij er niet meer was en nooit meer zou terugkeren. Het was echt ondenkbaar. Ondraaglijk. Geen van beiden wilde naar boven om te gaan slapen. Ze waren gewoon te bang voor hun eigen gedachten en dromen. Ze zaten

daar maar, de hele avond en nacht. Om drie uur ging Alice ten slotte naar bed. Jim bleef beneden en dronk de hele nacht. 's Morgens vond ze hem languit op de bank. Op de vloer lag een lege ginfles. Het was het begin van een afschuwelijke tijd voor het hele gezin, en Alice kon zich niet voorstellen dat het leven voor hen ooit weer normaal zou worden. Dat Johnny 's avonds thuiskwam van zijn werk, dát was normaal. Normaal was dat hij de woordvoeder van de klas was, in het football-team speelde en in het najaar naar de universiteit zou gaan. Normaal was dat ze hem kuste en knuffelde, en met een glimlach naar hem opkeek. Of met hem lachte, zijn hand vasthield, hem over zijn bol aaide. Maar dat hij voorgoed weg was, daaraan viel in de verste verte niets normaals te ontdekken. En naarmate de dagen verstreken, groeide bij Alice het besef dat voor hen het leven nooit meer normaal zou worden.

3

Het werd 4 juli, Onafhankelijkheidsdag. Het was nu een maand geleden dat Johnny was gestorven. Alice had de foto's laten ontwikkelen die op het afscheidsbal waren genomen. Het brak bijna haar hart toen ze ze bekeek en hem zag glimlachen in zijn smoking. Drie ervan liet ze inlijsten. Een zette ze neer in de kamer van Charlotte, een in die van Bobby en een in haar eigen kamer. Soms dacht ze dat de aanblik van de foto alles nog erger maakte. Hij zag er zo knap uit, zo jong, zo vol leven.
De 4e juli was voor het gezin Peterson dat jaar een akelige dag. De jaarlijkse barbecue was verleden tijd. Het samenzijn met hun vrienden zou alleen maar herinneringen aan de begrafenis hebben opgeroepen. Bovendien leek het niet gepast om ook maar iets te vieren. Er viel niets te vieren, te genieten of te lachen. In hun huis had de afgelopen maand de stilte van het graf geheerst. Ze zagen er allemaal uitgeput, leeg en ongezond uit. En dat waren ze ook. Alleen al de dag doorkomen was als de beklimming van de Mount Everest, en wanneer ze elkaar bij het avondeten zagen, was het voor iedereen een schok om te zien hoe de anderen eruitzagen.
Alice was tien kilo afgevallen en had donkere wallen onder haar ogen. Ze bekende Pam Adams, die haar iedere dag belde, dat ze letterlijk slapeloze nachten had. Ze viel iedere dag om zes uur 's morgens in slaap en een uur later, zo tegen zevenen of achten, was ze alweer

wakker. En Jim lag op de bank en dronk de hele nacht tot hij in een soort coma raakte. Charlotte huilde aan één stuk door, zoals iedereen. Ze wilde het huis niet uit en had alle honkbalwedstrijden van die maand gemist. Bobby was sinds hij bijna verdronken was nog nooit zo teruggetrokken geweest. Ze gingen allemaal gebukt onder een verschrikkelijk leed.

Pam zei dat het met Becky niet anders was. De eerste week kwam ze haar bed niet uit en toen ze uiteindelijk weer aan het werk ging, was ze zo van slag dat ze haar naar huis stuurden. De afgelopen week was het haar ten slotte gelukt om weer een paar uur te werken. Het leek wel of ze voortdurend huilde. Ze at praktisch niet en zei dat ze wilde dat ze samen met hem was omgekomen. De andere kinderen van het gezin Adams hadden vreselijk met haar te doen en maakten zich zorgen om haar. En ze misten Johnny. Hij was ook hún vriend geweest.

'Je moet zorgen dat je wat slaapt,' was Pams verstandige advies aan Alice. 'Uiteindelijk zul je dat ook doen. Hetzelfde is mij overkomen toen ik Mike had verloren. Het is niet de bedoeling dat je eerst ziek wordt voor je weer kunt slapen. Kun je niet een slaappil innemen? Ze had ze een poosje genomen, maar ze vond het vervelend dat ze de dag erop suffig was, dus had ze ten slotte de moed opgebracht om het gewoon zonder pillen te doen. Alice zei dat ze het ook zo wilde doen.

'Zal het altijd zo blijven voelen?' vroeg ze. Opnieuw voelde ze paniek. Het was moeilijk voor te stellen dat je voortaan met zo'n pijn moest leven.

'Ik denk wel dat het verschil maakt of je een kind verliest. Het laat je nooit los, maar wordt op den duur wel anders. Je leert ermee leven, zoals een invalide met zijn gebrek.' Zij was nog steeds niet over de dood van Mike heen, en dat was alweer twee jaar geleden. Maar het lukte haar nu om iedere dag op te staan, af en toe te lachen en voor haar kinderen te zorgen. Ze vertelde Alice niet dat ze nooit meer echt plezier in haar leven had. Haar vrienden hielden haar altijd voor dat die dag weer zou komen. 'Het zal niet eeuwig zo beroerd voelen, Alice. Het is nog maar een maand geleden. Hoe gaat het met de kinderen?'

'Charlotte is gisteren weer begonnen met basketballen, maar halverwege hield ze ermee op. Haar trainer gaat er fantastisch mee om. Ze mag het helemaal zelf weten, zegt hij. Ze mag spelen, wegblijven of alleen maar kijken.'

'En Bobby?'

'Hij lijkt zich volledig af te zonderen. Hij ligt gewoon de hele dag op zijn bed. Hij wil niet eens naar beneden komen om te eten. Ik moet hem dragen. Jim vindt dat ik hem niet als een baby moet behandelen, maar...' Terwijl ze probeerde het haar vriendin uit te leggen, barstte ze weer in snikken uit. De band tussen hen was nu hechter dan ooit, en het was voor Alice een steun om iedere dag met Pam te praten. 'In zekere zin zijn Bobby en Charlotte alles wat ik nog heb. Jim is er nooit, en wanneer hij er is... Nou ja... je weet hoe hij is... Hij drinkt zichzelf bewusteloos om niets meer te hoeven voelen. Hij wil niet eens over zichzelf praten. Hij vindt dat ik Johnny's kamer moet opruimen en alles weg moet geven. Daar heb ik gewoon de moed nog niet voor. Misschien doe ik het wel nooit. Zo nu en dan loop ik zijn kamer binnen en dan zit ik daar. Als ik er maar lang genoeg zit, is het alsof hij thuiskomt. Ik heb zelfs zijn bed niet afgehaald. Dat moet je wel gek in de oren klin-

ken,' zei Alice verontschuldigend, maar Pam kende het maar al te goed.
'Ik heb Mikes kleren langer dan een jaar gehouden, en ik heb nog een paar van zijn lievelingsspullen.'
'Ik was hier eenvoudigweg niet op voorbereid,' zei Alice ongelukkig. 'Misschien kun je ook nooit op zoiets voorbereid zijn. Het is nooit bij me opgekomen dat hij dood kon gaan, dat dit óns zou kunnen overkomen. Zoiets gebeurt altijd met andere mensen... Ik had nooit gedacht dat het mij zou overkomen... of iemand van ons.'
Het was bijna hetzelfde als wat Pam had gevoeld toen haar man onverwacht was gestorven. Maar een kind als Johnny verliezen, een kind van zeventien, dat was helemaal verschrikkelijk. Johnny had een hoop mensen diepbedroefd achtergelaten, en dat zonder dat hij er zelf iets aan kon doen. Sommige mensen hadden Alice gezegd dat er een moment zou komen dat ze kwaad op hem zou zijn omdat hij haar in de steek had gelaten, maar ze kon zich dat niet voorstellen. Zijn dood was beslist niet zijn schuld geweest. Hoe ontredderd ze ook waren, ze zou het haar zoon met de beste wil van de wereld niet kwalijk kunnen nemen.
Ze hadden afgezien van hun plan om eind juli met het hele gezin naar het meer te gaan en waren thuisgebleven. De maand augustus begon en Alice lag nog steeds de hele nacht wakker, maar Jim dronk in ieder geval minder. Hij had zijn oude gewoonte hervat en zat 's avonds weer bier drinkend voor de televisie. Met gin was hij gestopt. Charlotte speelde weer honkbal en Alice had aan Jim gevraagd of hij naar haar wedstrijden wilde gaan kijken, gewoon om zijn dochter een hart onder de riem te steken na alles wat hun was overkomen, maar hij had gezegd dat hij geen tijd had. En

Bobby lag nog steeds het grootste deel van de dag op zijn bed. Ondanks Alices pogingen om hem naar beneden te lokken en leuke dingen met hem te doen, liep hij zodra ze zich afwendde, de telefoon opnam of iets ging doen, weer naar boven, naar zijn bed. Het huis was 's avonds net een graftombe. Ze waren allemaal in zichzelf gekeerd, likten hun wonden en dachten aan hem. En iedere middag zat Alice een poosje op Johnny's kamer.
Toen Pam haar begin september eens goed bekeek, vond ze dat Alice er sinds juni niet zo slecht had uitgezien. Johnny was nu drie maanden dood, maar voor zijn moeder was alles nog hetzelfde. Ze was nog net zo aangeslagen als in de eerste paar dagen na zijn dood, en het kostte haar moeite om zich iedere dag weer aan te kleden. Lukte het haar, dan droeg ze een spijkerbroek en een trui met gaten. Ze zag er net zo depressief uit als ze zich voelde. Pam bood zelfs aan om haar haar te doen, maar Alice schudde alleen maar haar hoofd en zei dat het haar niets kon schelen.
De kinderen gingen alweer naar school, toen ze pijn in haar maag kreeg. Het waren hevige en scherpe steken. Ten slotte vertelde ze het op een avond aan Jim. Hij keek bezorgd.
'Het lijkt me verstandig dat je meteen naar de dokter gaat.' Ze zaten allemaal in angst om elkaar. Ze besefonly nu hoe broos een mensenleven was. Alice maakte zich voortdurend zorgen om Charlotte: dat ze tijdens het sporten gewond zou raken of dat ze zou worden overreden door een auto als ze op haar fiets op weg was naar school. Het idee dat ze onkwetsbaar waren was definitief verdwenen.
'Er zal wel niets aan de hand zijn,' zei Alice tegen be-

ter weten in. Ze maakte zich meer zorgen over de kinderen. Charlotte had die week op school twee keer een aanval van migraine gehad en was naar huis gekomen. En Bobby wilde helemaal niet meer naar school. Hij sloot zichzelf op in zijn kamer om maar niet te hoeven gaan. Het hoofd van de school had geadviseerd om het een maand aan te zien.

De weken daarop werd de pijn in haar maag erger, maar ze zei er niets over. Ze wist dat ze sterk moest zijn voor de rest van het gezin. Iets dergelijks zei ze ook tegen Pam. Met Becky ging het ook nog steeds niet goed. Ze werkte weer volledig, maar 's avonds thuis zat ze alleen maar te huilen. Ze zag haar vrienden nooit meer en kwam nergens meer. Johnny had hen allen in een deerniswekkende toestand achtergelaten.

Op een avond – de kinderen gingen alweer een maand naar school – lag Alice in bed en deed haar best om het niet uit te gillen van de pijn. Die was ondraaglijk, zodat ze nauwelijks kon denken. Jim lag nog maar net naast haar of ze moest overgeven. Meteen daarop zag ze helderrode bloedvlekken. Op grond van haar vroegere ervaring als verpleegster wist ze precies hoe ernstig dat was. Ze stond lange tijd in de badkamer te spugen. Toen ze ten slotte de deur opendeed, kon ze nauwelijks meer op haar benen staan. Jim sliep nog niet, maar helemaal bij zijn positieven was hij niet. Maar hij ontnuchterde snel toen hij haar gezicht zag. Ze zag nu niet meer wit. Nee, ze zag groen.

'Alice? Gaat het wel goed met je?' Hij ging overeind zitten in zijn bed en keek naar haar. Op zijn gezicht stond paniek te lezen.

'Nee,' zei ze zachtjes, terwijl ze ineenkromp van pijn. Het lukte haar niet eens bij hem te komen. Ze keek naar

hem, de kamer begon te draaien en ze zakte langzaam in elkaar op de vloer.
'Alice...! Alice...' Terwijl ze bewusteloos ineenzakte, haastte hij zich naar haar toe. Daarna rende hij naar de telefoon en belde 911. Ze zag eruit alsof ze dood was. Hij voelde zijn hart tekeergaan toen er werd opgenomen en hij zei dat zijn vrouw had overgegeven en dat ze nu in coma lag. Hij keek naar haar en besefte plotseling hoe vermagerd ze was. En ineens drong het tot hem door dat ook zij zou kunnen sterven. Háár kwijtraken was onvoorstelbaar. Hij was nog in gesprek met de man van het alarmnummer, toen Alice bewoog. Ze begon opnieuw over te geven, maar kwam niet volledig bij bewustzijn. Hij zag een plasje helderrood bloed.
'Ik zal zorgen dat er direct een ambulance komt.' Een paar minuten later – hij knielde net bij haar neer – hoorde hij de sirene van de ziekenauto. Haastig liet hij de ambulancebroeders binnen. Met twee treden tegelijk vloog hij de trap weer op om de broeders de weg te wijzen. Terwijl ze de kamer binnen snelden, kwam Charlotte de gang op. Ze zag er ontdaan uit. Bobby was op dat moment gelukkig diep in slaap.
'Wat gebeurt er?' vroeg Charlotte. Op haar gezicht stond paniek te lezen. Ze keek toe hoe de ziekenbroeders zich over haar moeder bogen. Zelfs Charlotte kon zien dat Alice er vaal uitzag, en ze begon te huilen. Ondertussen onderzochten de broeders het roerloze lichaam van haar moeder. 'Wat is er gebeurd, papa?' vroeg ze. Ze huilde nu onbedaarlijk.
'Ik weet het niet,' zei hij met verstikte stem. 'Ze heeft bloed opgegeven.' Hij dacht er niet aan om Charlotte gerust te stellen. Hij maakte zich te zeer ongerust over zijn vrouw om aan haar te denken. Behalve voor Alice

had hij nu voor niemand tijd. Hij wilde weten wat de ziekenbroeders te zeggen hadden.
'Het kan een aantal oorzaken hebben,' legden ze uit. 'Hoogstwaarschijnlijk is het een maagzweer die is gaan bloeden. Ze moet onmiddellijk worden opgenomen. Als u met ons mee wilt gaan?' Ze legden haar op een brancard en dekten haar toe. Ondanks haar bewusteloosheid huiverde ze, en door het bloedverlies verkeerde ze al snel in een shocktoestand.
'Ik ben zo terug,' zei Jim. Hij schoot zijn broek aan en glipte zonder sokken in zijn schoenen. Hij trok een trui over zijn hoofd, greep de telefoon en belde Pam. Hij vertelde haar wat er was gebeurd en vroeg haar of ze wilde komen, om op de kinderen te passen tot hij weer thuis zou zijn. Hij vond het vervelend om haar ermee lastig te vallen, maar hij wist zo gauw niet wie hij anders moest bellen.
'Ga jij maar met haar mee. Over vijf minuten ben ik er. Maak je geen zorgen over de kinderen. Becky kan op de mijne passen. Zorg jij nu maar voor Alice, Jim. Ik maak me al een hele tijd zorgen over haar.' Ze hadden allemaal gezien hoe mager ze geworden was, maar niemand had iets gezegd. Ze kenden de reden en wisten hoe moeilijk het voor haar was om de draad weer op te pakken. Johnny was in juni gestorven en de vier maanden die sindsdien waren verstreken, waren de zwaarste van haar leven geweest.
Jim volgde haar de ziekenauto in. Hij vertrok zonder een woord tegen de kinderen te hebben gezegd. Charlotte lag ineengedoken in het bed van haar ouders, als een kind dat de weg kwijt is. Pam vond haar daar en drukte haar stevig tegen zich aan. Toen Charlotte ten slotte weer zover was dat ze alleen gelaten kon worden,

ging ze kijken hoe het met Bobby was. Tot haar grote opluchting sliep hij als een roos. Ze maakte warme melk voor Charlotte, verwijderde het bloed van het slaapkamertapijt en zat toen urenlang aan de keukentafel met het meisje te praten. Over hoe akelig het leven was zonder Johnny, over de verslagenheid van haar ouders, over de drankzucht van haar vader en over hoe kapot haar moeder van het hele gebeuren was geweest. Charlotte vertelde Pam hoe hun leven definitief veranderd was, en Pam gaf toe dat dat zo was, maar dat het ooit een stuk beter zou worden. Het zou niet altijd zo zijn als nu. Alice zou zich er na verloop van tijd mee verzoenen en weer in staat zijn om haar volledige aandacht op hen te richten. Voorlopig werd ze verlamd door verdriet, maar Pam verzekerde Charlotte dat het een proces was, en niet het einde van alles.
Nadat ze Charlotte naar bed had gebracht, belde Pam het ziekenhuis en praatte met Jim. Ze waren op dat ogenblik nog steeds met Alice bezig. Ze kreeg injecties met sterke medicijnen, ze hadden haar een pijnstillend middel toegediend en ze waren bezig haar twee zakjes bloed toe te dienen. Ze was nog helemaal niet uit de gevarenzone. Ze was eenmaal kort bij bewustzijn geweest, maar de laatste keer dat hij haar had gezien, lag ze weer in coma. Hij zei dat ze alleen op een kamer lag, naast de intensive care, en dat er een zuster van die afdeling bij haar was. De artsen hielden haar voortdurend in de gaten en stonden niet toe dat hij in de kamer bleef. Ieder halfuur mocht hij hooguit vijf minuten naar binnen. En iedere keer weer vond hij dat Alice er vreselijk uitzag.
'Wat is er precies met haar aan de hand, hebben ze dat ook gezegd?' Pam klonk ontzettend bezorgd na alles

wat hij had verteld. Zijn stem klonk toonloos en ongelooflijk angstig.
'Waarschijnlijk heeft ze een maagzweer. Ze denken dat het bloeden nu gestopt is. Maar als ik haar niet zo snel hier had gekregen, was ze nu waarschijnlijk dood geweest.'
'Ik weet het,' zei Pam zachtjes. 'Godzijdank is het je gelukt.'
'Bedankt dat je op de kinderen wilde passen, Pam,' zei hij. Zo te horen was hij aan het eind van zijn Latijn. 'Ik hou je op de hoogte en bel je nog.'
'Je kunt me altijd bellen. Ik neem op zodra het toestel overgaat, dus de kinderen zullen er niet wakker van worden.'
'Bedankt, Pam,' zei hij opnieuw, en hij ging terug naar zijn vrouw. De verpleegster vertelde hem dat ze haar een slaapmiddel hadden gegeven en dat ze urenlang onder zeil zou zijn. Ze boden hem een bed aan in de wachtkamer, zodat hij die nacht in het ziekenhuis kon blijven. Hij wilde haar niet alleen laten en nam het aanbod dankbaar aan. Zodra hij op het veldbed lag dat ze voor hem hadden neergezet, viel hij in slaap. Hij had zich vreselijke zorgen om haar gemaakt en de spanning had hem uitgeput. Bovendien was het inmiddels al twaalf uur.
Alice lag tegen die tijd rustiger te slapen en had niet meer overgegeven. Haar bloeddruk was nu een beetje hoger dan hij was geweest, en de verpleegster kwam om de twintig minuten om haar vitale functies te controleren. Maar ze waren blij dat haar toestand niet meer kritiek was. Ze lieten haar steeds twintig minuten alleen. Ze was in een diepe slaap vol ingewikkelde dromen. Ze wist niet waar die dromen haar naartoe leidden, maar

na een tijdje was ze zich ervan bewust dat Johnny naast haar liep. Hij scheen blij en op zijn gemak, en na een poosje wendde hij zich met een glimlach tot haar en zei: 'Hoi, mam.' Hij keek op precies dezelfde manier naar haar als hij iedere avond had gekeken wanneer hij – na eerst bij Becky te zijn geweest – thuiskwam van zijn werk en ze op hem wachtte met het avondeten.
'Dag, schat, hoe is het met jou?' Alice was zich ervan bewust dat ze in haar droom met hem kon praten. Ze zag hoe gelukkig hij eruitzag en was blij. Ze had eerder het gevoel dat ze wakker was dan dat ze sliep, maar ze wist dat ze wel moest slapen als ze hem zag. Wat ze óók wist, was dat ze niet wilde dat de droom ophield.
'Ik voel me prima, mam. Maar jij staat er niet zo florissant voor. Wat heb je jezelf aangedaan?' Ze kon de bezorgdheid in zijn grote bruine ogen zien. Hij droeg een kraakhelder blauw overhemd, een spijkerbroek en zijn lievelingsschoenen, en ze vroeg zich af hoe hij erin was geslaagd om die mee te nemen. Zelfs in haar droom herinnerde ze zich duidelijk dat ze hem in zijn donkere pak en met andere schoenen aan hadden begraven. Maar het mysterie van zijn kleding ging te diep om opgelost te kunnen worden.
'Met mij is niets aan de hand,' verzekerde ze hem. 'Ik mis je alleen zo.' Ze had het eigenaardige gevoel dat ze niet echt iets zei, maar dat ze met hem praatte in haar hoofd. Hoe, dat wist ze niet precies.
'Ik weet dat je me mist, mam,' zei hij vriendelijk. 'Maar dat is geen excuus om het bijltje erbij neer te gooien. Charlotte is de laatste tijd echt verdrietig en Bobby is er helemaal niet best aan toe.'
'Ik weet het. Maar ik weet niet wat ik eraan moet doen.'
'Om te beginnen moet papa eens met haar meegaan als

ze een wedstrijd speelt, ook al is ze een meisje. Ze is een veel betere sporter dan ik. En Bobby luistert niet meer naar je. Je moet daar iets aan doen, mam, anders gaat het van kwaad tot erger.' Hij was nu al bijna autistisch. Ze had zich er ook zorgen over gemaakt.
'Waarom praat je niet met papa?' vroeg ze. Hij moest glimlachen om die pientere opmerking. Ze kon hem uitstekend zien met haar ogen dicht en ze kon hem horen in haar hoofd.
'Híj kan me niet horen, mam, maar jij wel.' Ze wist dat Johnny het bij het rechte eind had, want dit was haar droom, niet die van Jim. 'Je moet nu beter worden, mam. Pas dan kun je iets voor iemand doen. Je moet zorgen dat je weer beter wordt en naar huis kunt.' Zijn stem klonk volmaakt helder in de stilte van haar hoofd.
'Ik wil niet naar huis,' zei ze verdrietig en ze begon in haar droom te huilen. 'Ik vind het vreselijk om thuis te zijn nu je er niet meer bent. Het maakt me zo triest.' Ze huilde. Hij bleef lange tijd naar haar staan kijken, zonder goed te weten wat hij moest zeggen. Hij sloeg een arm om haar heen en zij snoot haar neus. 'Ik zal hier nooit aan wennen,' zei ze, in een poging het hem uit te leggen. Alsof het nu nog verschil zou maken als ze verstandig met hem zou praten. Alsof hij nog van gedachten zou kunnen veranderen en bij haar terug zou kunnen komen.
'Ja, dat lukt je wel,' zei Johnny met nadruk. 'Je bent een bijzonder sterke vrouw, mam.' Hij klonk heel stellig.
'Nee, dat ben ik niet,' snikte ze. 'Ik kan niet voor iedereen sterk zijn – voor je vader, voor mezelf, voor Charlotte, voor Bobby. Ik heb niets meer te geven.'
'Ja, dat heb je wél,' hield Johnny vol. En toen klonk er een geluid in haar droom, alsof een andere stem tegen

haar praatte. Deze leek van heel ver te komen en ze herkende hem niet. Ze deed haar ogen open om te zien wie het was. Het was de zuster. En terwijl ze naar haar keek, verdween het gevoel dat ze met Johnny praatte.
'Er gebeurt vanavond van alles in uw dromen, hè?' zei de verpleegster vriendelijk, die opnieuw haar bloeddruk opnam en verheugd was over wat ze zag. Het zag er allemaal weer wat rooskleuriger uit voor Alice. Maar het was eventjes een dubbeltje op zijn kant geweest.
Alice sloot haar ogen en viel opnieuw in slaap, en ze sliep nog niet of haar droom was er weer. Het was erg troostrijk om te merken dat Johnny op haar wachtte. Hij zat op een lage muur en zwaaide met zijn voeten, net zoals hij als kleuter had gedaan. Zodra hij haar zag, wipte hij van de muur. Maar toen ze begon te praten, was hij niet blij met wat hij hoorde.
'Johnny, ik wil met je mee.' Vier maanden had ze dat niet tegen hem kunnen zeggen en nu kon het, in haar droom. Een poosje had ze de gedachte in haar achterhoofd gehad, maar ze had de zin nooit werkelijk geformuleerd, of het zichzelf willen toegeven. Ze wilde bij hem zijn. Ze kon niet langer zonder hem leven.
'Waar zit je verstand?' Johnny keek geschokt. 'Wil je Bobby, Charlotte en papa in de steek laten? Daar komt niets van in. Ze kunnen niet zonder jou. Ik ben niet degene die hier de beslissingen neemt, maar ik verzeker je dat níémand hier iets in dat idee ziet. Vergeet het, mam. Gedraag je.' Zijn stem klonk boos.
'Ik kan niet leven zonder jou,' zei Alice ongelukkig. 'Ik wil hier niet zijn.'
'Dat kan me niet schelen. Je hebt nog steeds een taak te vervullen. En ik ook,' zei hij. Hij klonk veel volwassener dan de laatste keer.

'Wat voor werk moet jij dan doen?' vroeg zijn moeder hem nieuwsgierig, maar hij haalde zijn schouders op. Hij zat weer op de muur en zwaaide met zijn benen.
'Ik weet het niet. Ze hebben het me nog niet verteld. Iets zegt me dat het een pittig karwei zal worden, als ik kijk naar je houding en je gezondheidstoestand. Hoe kan het dat je er zo aan toe bent, mam? Je was altijd zo'n volhouder.' Het klonk alsof hij teleurgesteld was in haar. Ze keek op en staarde in de haar zo vertrouwde ogen. Ze wilde dat ze zijn gezicht kon aanraken, maar iets zei haar dat dat niet kon. Ze wist intuïtief dat er een kans bestond dat ze wakker werd als ze dat deed.
'Je bent ook nooit eerder dood geweest. Ik kan dit niet aanvaarden, schat. Ik kan het niet.' Hij was van de muur gewipt en stond haar aan te kijken terwijl ze die laatste woorden uitsprak. Hij zag er boos uit en klonk heel stellig toen hij weer sprak.
'Ik wil dit nooit meer uit jouw mond horen. Gedraag je.' Hij klonk meer als een vader dan als een kind, en hij maakte plotseling een heel volwassen indruk. Alice was zich ervan bewust dat dit een heel eigenaardige droom was. De droom was realistisch, maar deed vreemd aan, alsof ze met hem in een andere wereld was.
'Oké, Oké,' antwoordde ze toen hij haar de les las. Ze klonk als een kind en zo voelde ze zich ook. 'Je weet niet hoe moeilijk het is om hier zonder jou te zijn.' Ze had het hem al maanden willen zeggen en was opgelucht dat ze het nu kon doen.
'Ik weet het. Ik vond het vreselijk om zo snel te vertrekken. Het kwam als een donderslag bij heldere hemel. Arme Becky. Ik vond het ook afschuwelijk om bij haar weg te gaan. Hij keek verdrietig bij de gedachte aan haar, en Alice had erg met hem te doen.

'Het gaat op het ogenblik iets beter met haar,' zei zijn moeder om hem gerust te stellen. Hij knikte, alsof hij er meer over wist dan zij.
'Het komt allemaal weer goed met haar. Ze weet het alleen nog niet. En met jou ook, en met Charlotte, Bobby en papa. Als jij maar eens deed wat je moet doen om eroverheen te komen en als papa maar naar de wedstrijden van Charlotte zou gaan, dan zou de hele situatie misschien wat sneller verbeteren dan nu. Jullie maken mij het er zeker niet makkelijker op,' zei hij. Hij zag er enigszins vermoeid en heel bezorgd uit. Ze had de indruk dat hij een beetje begon te vervagen terwijl ze tegen hem praatte, alsof hij nu wel lang genoeg was gebleven en uitgeput was.
'Het spijt me, lieveling. Het was niet mijn bedoeling om je teleur te stellen,' zei ze verontschuldigend, in de hoop dat haar droom nog even zou voortduren. Ze had het eigenaardige gevoel dat hij haar zou ontglippen en dat ze zo meteen wakker zou worden.
'Je hebt me nooit teleurgesteld, mam, en dat zul je ook nu niet doen, dat weet ik. Zorg nu alleen maar dat je weer beter wordt, dan praten we straks over andere dingen.'
'Wanneer?' Ze wilde weten wanneer ze hem weer zou zien. Ze had sinds zijn dood nooit een droom gehad als deze.
'Dat heb ik je toch gezegd? Wanneer je weer hersteld bent. Ik wil niet dat je je nu ergens druk over maakt.'
'Waarom niet?'
'Omdat je ziek bent. Trouwens, ik heb mijn opdracht nog niet.' Hij sprak in raadselen en ze was in verwarring. Maar ze wandelden nog steeds naast elkaar en hij leek net zo echt als vroeger.

'Welke opdracht?'
'Maak je daar maar geen zorgen over, mam.' Hij maakte een heel volwassen indruk tijdens het praten, en het was een opluchting voor haar om te zien hoe goed het met hem ging.
'Ga je naar de universiteit?'
'Hmm, zo zou je het wel kunnen noemen. Misschien moet ik mijn vleugels verdienen.' Toen hij dat zei, moest hij lachen. En toen gaf hij haar een zoen en liep weg. Ze wilde achter hem aan rennen, maar merkte plotseling dat ze hem niet kon volgen. Het was alsof er een muur was verrezen en ze niet verder kon. Ze zag hem verdwijnen, maar ze voelde zich niet meer zo bedroefd als een tijdje geleden. En toen de zuster haar de keer daarop wakker maakte om haar bloeddruk te meten, ontwaakte ze met een glimlach. Het was de mooiste droom die ze ooit had gehad.
'Zo te zien gaat het beter met u, mevrouw Peterson,' zei de verpleegster verheugd. Toen ze weg was, viel Alice weer in slaap, maar ditmaal verscheen Johnny niet in haar dromen. 's Morgens – voor hij naar huis ging om zich te verkleden voor zijn werk, en voor zij naar school gingen – kwamen Jim en de kinderen bij haar op bezoek. Bijna had ze hem over haar droom verteld, maar ze bedacht zich net op tijd. Ze wilde hem niet bang maken, en ergens voelde ze dat ze het voor zich moest houden. Het was trouwens lastig om met Jim over dat soort dingen te praten. Bovendien had ze het idee dat Bobby bang was voor geesten.
De dokter besloot om haar nog een dag in het ziekenhuis te houden. 's Middags kwam Pam op bezoek en ze praatten een tijdje. En Jim belde op om te zeggen dat hij die avond thuis zou blijven met de kinderen. Alice stel-

de hem gerust en zei dat het goed met haar ging. Nadat ze die avond in slaap was gevallen, verscheen Johnny weer in haar dromen. Ze genoot van de nieuwe wereld die ze met hem had betreden en wilde aan één stuk door slapen. Hij zag er gelukkig en heel opgewekt uit, en ze praatten over allerlei dingen: over Becky, over school, over de baantjes die hij in de loop der jaren had gehad en over hoe het toch kwam dat zijn vader zoveel dronk. Alle twee wisten ze het: het kwam door het ongeluk van vijf jaar geleden. Maar Johnny zei dat het nu lang genoeg had geduurd en dat het tijd was om te stoppen. Johnny klonk als een wijs man, ondanks zijn jeugdige leeftijd.
'Dat is gemakkelijker gezegd dan gedaan,' zei Alice zachtjes tegen haar zoon. 'Het bevalt mij ook niet, maar zolang Bobby niet kan praten, zal je vader verteerd worden door schuldgevoelens.'
'Ooit, als hij er klaar voor is, zal hij praten. En dan heeft papa geen enkel excuus meer.'
'Waarom denk je dat Bobby gaat praten?' Bijna twee jaar geleden had ze alle hoop opgegeven. Ze hadden gedaan wat ze konden, maar er was geen verbetering of verandering in zijn toestand gekomen. Ook nu zou dat niet gebeuren, daar was ze zeker van.
'Hij zál praten. Je zult het zien.'
'Heb je dat van hogerhand, of probeer je me gewoon een beetje op te vrolijken?' vroeg ze, en ze glimlachte naar hem. Het was een goed gevoel Johnny weer te zien, ook al was het alleen maar in een droom.
'Beide. Eigenlijk vertelt mijn hart het me. Ik kan Bobby altijd horen in mijn geest. Dat is altijd zo geweest.'
'Ik weet het,' zei ze bedroefd, terwijl ze aan haar jongste zoon dacht en aan het trauma dat hij had opgelopen. 'En niemand anders hoort het.'

'Volgens mij zou jij hem ook kunnen horen, als je het probeerde,' zei Johnny. Ze dacht er even over na. Het denkbeeld intrigeerde haar. Ze had het nooit geprobeerd. Ze vulde gewoon de stiltes voor hem in, maar het was nooit bij haar opgekomen om naar Bobby te luisteren in haar geest, zoals Johnny had gedaan.
'Ik zal het proberen als ik weer thuis ben,' beloofde ze. Ze vroeg zich af of dat de reden was dat ze Johnny in haar droom had gezien, of dat zijn boodschap aan haar was. Of misschien kwam het wel door wat ze haar in het ziekenhuis hadden gegeven. Misschien waren de medicijnen er de oorzaak van dat ze zich dingen verbeeldde. Terwijl ze praatten, had ze het vage gevoel dat het intussen al bijna ochtend was. Ze zag er erg tegen op om wakker te worden en hem weer te verliezen. Ze verafschuwde de ochtenden nu. Ze zou ontwaken met een loden last op haar borst en zich de vreselijke dingen herinneren die hun waren overkomen. Ze zou haar ogen opendoen en binnen een paar seconden zou ze precies weten wat er was: Johnny was weg.
Snel deed ze ze weer dicht. 'Ik wil je niet nog een keer verliezen,' zei ze verdrietig. Hij wilde weggaan, maar bleef nog even staan. 'Kan ik niet gewoon bij je blijven, hier?' Het enige dat ze wilde, was bij hem zijn.
'Natuurlijk niet, mam, jíj bent niet dood. En dat zal ook niet gauw gebeuren. Je hebt hier nog een hoop werk te doen.' Hij was stellig in wat hij zei.
'Ik mis je zo.' Ze kon de woorden nauwelijks uitbrengen, zo'n pijn deden ze.
'Ik mis jou ook, mam,' zei hij zacht. Heel erg. Ik mis Becky ook... en Bobby... en Charlotte... en papa. Ik kan er moeilijk aan wennen om niet bij jullie te zijn.

Maar ik ben van plan om een poosje in de buurt te blijven.'
'Echt?' Het verraste haar, en hij glimlachte.
'Ik heb een opdracht te vervullen,' zei hij geheimzinnig.
'Een opdracht?' Ze keek verbaasd. 'Wat voor opdracht?'
'Ik weet het niet. Dat deel van het verhaal vertellen ze je niet. Je moet er zelf achter zien te komen. Ze geven je geen bijzonderheden. Ik denk dat het zichzelf in zekere mate... zal openbaren.'
'Wat bedoel je?' Wat hij zei stelde haar voor raadsels.
'Het is mijzelf ook niet helemaal duidelijk, mam. Volgens mij moet ik maar gewoon datgene doen waarvan ik denk dat het van me wordt verwacht... En wanneer mijn taak erop zit, kan ik gaan.' Het leek tamelijk eenvoudig, zolang hij er maar achter kon komen wat hij moest doen en wist hoeveel tijd hij daarvoor precies had.
'Ik begrijp het niet. En wat gebeurt er nu als ik wakker word? Komt de droom terug wanneer ik weer in slaap val?' Haar droom zorgde ervoor dat ze eeuwig wilde blijven slapen. Zo kon ze hem altijd zien.
Hij moest lachen om haar vraag, en het was de lach die ze zo goed kende en de glimlach die ze zo had gemist. En meer dan ooit had ze het gevoel dat ze niet wakker wilde worden, zo fijn was het om hem weer te zien.
'Ik denk dat je me nog vaak zult zien.' Hij had het niet over de droom.
'Wanneer?' Ze wilde een antwoord van hem, de belofte dat ze hem terug zou zien in haar dromen. De afgelopen twee nachten had ze ervaren als een geschenk van hem. Het was alsof ze echt samen waren geweest.
'Nu,' zei hij ongedwongen. Hij leek zich volkomen op zijn gemak te voelen bij haar.

'Wat bedoel je met "nu"?'
'Met nu bedoel ik: bij het wakker worden.'
'Ik zal je zien wanneer ik wakker word?' Zelfs zij wist wel beter.
Hij knikte en ze keek hem verbijsterd aan.
'Leg me dat maar eens uit?'
'Oké. Word wakker.'
'Nu?'
'Ja, nu. Doe je ogen open.'
'Ik wil mijn ogen niet opendoen. Als ik nu wakker word, ben je verdwenen en is alles weer akelig. Ik vertik het om wakker te worden.' Ze klonk kinderlijker dan haar zoon, en probeerde haar ogen zo stijf mogelijk dicht te drukken.
'Wakker worden, mam. Doe je ogen open.' In het begin probeerde ze zich te verzetten, maar ze merkte dat dat niet ging. Het was alsof hij haar dwong om te doen wat hij zei. Knipperend opende ze haar ogen. Eerst kon ze niet duidelijk zien in de vrijwel onverlichte kamer, maar toen haar ogen zich hadden aangepast, zag ze Johnny zitten aan het voeteneinde van haar bed. Hij zag er nog precies hetzelfde uit als in haar droom.
Ze keek hem aan. 'Wauw, is dit even een fantastische droom,' zei ze met een grijns. 'Het komt zeker door de medicijnen.' Ze vond het grappig. Misschien was het geen droom, maar een zinsbegoocheling.
'Nee, het zijn de medicijnen niet, mam,' zei hij zelfverzekerd. Het ging hem steeds beter af. 'Ik ben het.'
'Wat bedoel je, "Ik ben het"?' Ze keek hem plotseling recht in zijn gezicht, haar ogen waren open. Ze begreep er niets van. Ze had niet langer het gevoel dat ze droomde. Verwarring nam bezit van haar. Ze zag dat Johnny

met haar praatte en had de indruk dat ze klaarwakker was, iets wat volkomen idioot was.
'Precies wat ik zeg, mam: ik ben het. Dit is helemaal te gek, mam, vind je ook niet?' Hij maakte een opgewonden indruk, en er verscheen een paniekerige blik in haar ogen. Ze vroeg zich opeens af of ze aan waanvoorstellingen leed. Misschien was haar verdriet haar ten slotte te veel geworden. Hij probeerde het haar uit te leggen. 'Ik kom voor een poosje bij je terug, mam. Maar alleen bij jou,' zei hij, terwijl haar ogen nog groter werden. 'Volgens mij is dit een nogal bijzondere overeenkomst. Iemand vertelde mij dat het gebeurt met mensen die er heel plotseling tussenuit knijpen, mensen die nog iets af te maken hebben, dingetjes die zijn blijven liggen. Ik weet alleen dat ik iets in orde moet maken voor mensen. Maar niemand heeft me gezegd wat ik in orde moet brengen, en voor wie precies. Ik zal er zelf achter moeten zien te komen, denk ik.'
Zijn moeder zat in haar ziekenhuisbed en probeerde streng te kijken. 'Johnny Peterson,' zei ze, terwijl ze hem aanstaarde. 'Heb je daar boven drugs gehad?' Zo te zien was ze volledig uit het lood geslagen. Nietsvermoedend was ze betrokken geraakt bij een fenomeen dat alles tartte waar ze in geloofde of waar ze kennis van droeg. Het was als een uittreding uit je lichaam en Johnny maakte er deel van uit. Hij zag er blij en levensecht uit en leek zich op zijn gemak te voelen. 'Ik begrijp niet wat er aan de hand is,' zei ze. Ze zag een beetje bleek. Het komt vást door de medicijnen die ik krijg, zei ze tegen zichzelf. Op dat moment liep een verpleegster de kamer binnen en verdween Johnny. Het was of hij er helemaal niet geweest was, maar deze keer was ze niet verdrietig. Daarvoor had hij veel te echt geleken. Voor

één keer voelde ze niet de loden last van het verlies. Ze voelde zich merkwaardig opgewekt.
'En, hoe voelt u zich vandaag?' vroeg de verpleegster blij. Ze was opnieuw tevreden over Alices vitale functies. Ze bleef maar een paar minuten en ging toen weer weg. Alice sloot haar ogen en dacht aan haar zoon. Toen ze ze weer opendeed, stond Johnny naast haar bed en grijnsde naar haar.
Glimlachend sloeg ze haar ogen naar hem op. 'Dit kan niet waar zijn,' zei ze. 'Maar ik geniet van iedere minuut. Waar ben je heen geweest?'
'Als er andere mensen in de kamer zijn, mag ik hier niet blijven. Dat zijn de regels. Ik ben hier alleen voor jou; dat heb ik je toch verteld, mam?'
'Ik wou dat het waar was,' zei ze gapend, maar zonder haar ogen van hem af te wenden. Dit werd steeds moeilijker om te begrijpen, maar het voelde steeds prettiger. Het was fantastisch om hem te zien, of om te denken dat ze hem zag.
'Ik ben hier voor jou, mam. Vertrouw me. Ik heb het je toch gezegd? Dit is onwijs gaaf.'
'Wat wil je me duidelijk maken?' Ze voelde zich nu plotseling nerveus, alsof er iets belangrijks met haar gebeurde dat zich aan haar – en zelfs zijn – controle onttrok. En dat was ook zo.
'Ik weet dat het je gek in de oren zal klinken, dat was bij mij eerst ook zo. Ze sturen me voor een tijdje terug, om wat speciale klusjes op te knappen. Toen ik doodging, ging alles zo snel dat ik geen tijd had om dingen af te maken. Dus laten ze het me nu doen. Niet voor mezelf, maar voor alle anderen. Ik denk... voor jou... Bobby... Charlotte... papa... Becky waarschijnlijk ook... misschien haar moeder... Het is een enorme klus,

maar wat ik precies moet doen hebben ze me nog niet uitgelegd.'
'Wil je daarmee zeggen dat je terugkomt?' Ze zat recht overeind in bed en keek hem aan. En ditmaal wist ze zeker dat ze wakker was.
'Alleen voor een poosje,' zei hij. Hij zag er tevreden uit.
'Wil je me soms vertellen dat ik je echt zie? Dat dit niet een of ander stom middel is dat ze in mijn aderen hebben gespoten en waarvan ik ga hallucineren?'
'Nee, dit is van een andere orde. Onvergelijkbaar.' Hij grijnsde opnieuw. 'Het is behoorlijk goed spul. Een beetje verslavend, denk ik. Ik heb jullie erg gemist.'
'Ik jou ook,' zei ze. Haar ogen vulden zich met tranen. Instinctief wilde ze zijn hand pakken en hij nam die van haar in de zijne. Het voelde net zo als het altijd had gevoeld, en hij zag er niet anders uit dan vroeger. Hij was nog steeds dezelfde knappe jongen die hij altijd was geweest, haar oudste zoon, van wie ze zoveel hield. 'Bedoel je dat ik je weer de hele tijd zie?' vroeg ze met een brok in haar keel. Op haar gezicht stond ongeloof te lezen.
'Behoorlijk vaak. Behalve wanneer ik het te druk heb met iets anders. Zoals ik net al zei, krijg ik een hoop te doen. Zo te horen is het een zware klus.'
'Kan iemand anders je ook zien?'
'Nee, alleen jij. Ik had een beetje gehoopt dat Becky me ook kon zien, maar ze vinden dat geen goed idee. Het is niet zo'n kleine gunst die ze je verlenen, mam. Ik vind wel dat je iemand of iets moet bedanken, als je de kans krijgt.' Ze keek hem aan en knikte alleen maar, niet in staat om te geloven wat hij zojuist had gezegd.
'Ik zal het doen,' fluisterde ze tegen hem. 'Ik zal het doen...' En toen kreeg ze plotseling weer twijfels. 'Weet

je zeker dat ik hier niet gewoon gek aan het worden ben... of dat ze me bewustzijnsverruimende middelen toedienen, die hun werking zullen verliezen als ik weer thuis ben?'

'Ja, dat weet ik zeker, mam. Waarom rust je niet even? Ik moet wat dingen doen. Dan zien we elkaar wanneer je weer thuis bent. Hij boog zich voorover en kuste haar, en ze voelde zijn warmte vlak bij haar. Zodra hij haar een zoen had gegeven, glimlachte hij naar haar en toen was hij vertrokken, alsof ze even met haar ogen had geknipperd. Het was of ze hem weer kwijt was. Maar deze keer voelde het anders. Ze wist dat ze hem niet had verloren. Ze wist nog steeds niet wat er was gebeurd, maar wat het ook was, haar hart voelde lichter aan dan het in vier maanden, of op enig tijdstip daarvoor, gevoeld had.

Ze lag in bed en dacht over hem na. Ze voelde de warmte die hij had achtergelaten en herinnerde zich wat hij zoëven had gezegd. En toen ze haar ogen dichtdeed en in haar verbeelding haar zoon zag en zich zijn kus en aanraking herinnerde, fluisterde ze onhoorbaar: 'Dank je.'

Toen werd haar ontbijt gebracht en voor één keer at ze fatsoenlijk. Veel meer dan ze in maanden gedaan had: havermoutpap, geroosterd brood, koffie en een zachtgekookt ei. En iedere keer als ze aan hem dacht, glimlachte en lachte ze; ze kon er niet genoeg van krijgen. Ze was niet meer verdrietig, kapot, terneergeslagen of depressief. Ze was gelukkiger dan ze in jaren was geweest. De dokter vond haar herstel wonderbaarlijk en nadat hij haar zorgvuldig had onderzocht, zei hij dat ze naar huis mocht. Wel stond hij erop dat ze de voorgeschreven medicijnen nam, totdat haar maagzweer was genezen. Zodra hij het had gezegd, glimlachte ze, want ze wist wie er thuis op haar wachtte. En als het uiteindelijk allemaal niet meer dan een droom was, dan wist ze met absolute zekerheid dat het de mooiste droom was die ze ooit had gehad.

4

Jim kwam in zijn lunchpauze naar het ziekenhuis om Alice op te halen en thuis te brengen. Ze was in een goed humeur en haar conditie was wat beter dan eerst. Ze had de dokter beloofd dat ze rust zou nemen. Vrij snel na haar thuiskomst kwam een van haar buren op bezoek. Pam en Becky kwamen 's avonds langs om te zien hoe het met haar was. Ze was op een speciaal dieet gezet en Charlotte had voor iedereen gekookt.
Alice trok haar kamerjas aan en ging naar beneden. Zelfs Jim at mee die avond. Na het eten zat hij nog heel even bij hen en verdween toen met een sixpack naar de zitkamer om tv te kijken. Alice hielp Charlotte met de vaat en met opruimen. Bobby zat zwijgend aan de keukentafel toe te kijken. Sinds zijn moeder thuis was, had hij haar nog geen moment uit het oog verloren. Toen hij had gemerkt dat ze weg was, was hij doodsbang geweest, er vast van overtuigd dat ze nooit meer terug zou komen. En toen ze weer naar haar kamer ging, volgde hij haar de trap op en ging aan het voeteneinde van haar bed zitten.
'Maak je niet ongerust, schat, ik ga nergens heen. Ik voel me goed. Hand op mijn hart.' Ze kon aan Bobby's blauwe ogen zien dat hij bang was. De herinnering aan de plotselinge dood van Johnny lag iedereen nog vers in het geheugen. In het bijzonder gold dat voor Bobby. Na een poosje kwam hij naast haar op het bed zitten en pakte haar hand vast.

Ze had hem al in bed gestopt, toen ze een geluid in haar kamer hoorde. Ze dacht dat Charlotte even was binnengelopen om wat kleren van haar te lenen, zoals ze dikwijls deed. Ze was langer en tengerder dan Alice, maar het lukte haar nog steeds om bij haar moeder iets van haar gading te vinden: een trui of accessoire voor bij haar lievelingsbroek.
'Charlotte?' zei Alice in de richting van haar wandkast, terwijl ze weer in bed glipte. Ze schoot omhoog toen ze in het glimlachende gezicht van Johnny keek. Hij droeg hetzelfde blauwe shirt en dezelfde kraakheldere broek als in het ziekenhuis, en zijn pasgeknipte haar zat net zo keurig als op de avond van het schoolbal.
'Hoi, mam,' zei hij. Hij boog zich over haar heen om haar een zoen op haar wang te geven en ging toen aan het voeteneinde van haar bed zitten, zoals hij zo vaak had gedaan als hij met haar wilde praten.
'Het zal wel even duren voor ik hieraan gewend ben,' vertrouwde ze hem toe. 'Dit heeft toch veel weg van een wonder, vind je niet?'
Hij knikte. 'Ja, dat is het,' zei hij glimlachend.
Ze liet zich terugzakken in haar kussens. 'Wat heb je vandaag gedaan?' vroeg ze terloops. Ze genoot ervan naar hem te kijken. Hij zag er goed, jong, sterk en zelfverzekerd uit, meer nog dan vroeger. Vroeger kon hij nog weleens van die denkrimpels hebben, maar nu zag hij er gewoon de hele tijd gelukkig uit. En toen besefte ze hoe maf het klonk om hem te vragen wat hij gedaan had. Het was net of hij nooit was weggegaan, alsof ze verwachtte dat hij haar zou vertellen over zijn werk of over school.
'Vandaag heb ik Becky opgezocht. Ze zag er erg verdrietig uit.' Terwijl hij aan het woord was, werd zijn

blik ernstiger. Hij had haar urenlang gevolgd, haar gadegeslagen met de kinderen en gezien hoe ze met haar moeder praatte.

'Haar moeder en zij zijn even langs geweest.'

'Dat weet ik, mam. Ik was hier.'

'Was je hier?'

Hij knikte, maar wekte de indruk dat hij over iets anders nadacht. 'Bobby is echt doodsbang dat jou iets overkomt,' vertelde hij haar, maar dat wist ze al. Bobby had geen woorden nodig om je te zeggen hoe hij zich voelde, en de manier waarop hij de hele dag om haar heen had gehangen, had haar alles verteld wat ze moest weten. Bobby was doodsbang dat zij ook dood zou gaan.

'Ik denk dat hij bang was dat ik niet zou terugkomen uit het ziekenhuis. Net als jij,' zei ze dubbelzinnig.

'Ik weet het, mam,' zei Johnny zacht. 'En Charlotte maakt zich zorgen over papa.' Alice knikte, daar viel niets tęgen in te brengen. Zij maakte zich ook zorgen om hem. Sinds de dood van Johnny was zijn drankgebruik duidelijk erger geworden. Ze kon alleen maar hopen dat hij weer minder zou gaan drinken. Maar de laatste weken was het alleen maar erger geworden. Hij werd nooit zo dronken dat hij de volgende dag niet kon werken, en hij dronk pas als hij thuis was. Maar als hij eenmaal begon, dronk hij de hele avond door en tegen de tijd dat hij ging slapen was hij helemaal lam. Zo kon je toch niet leven? Ze wist dat het hele gezin eronder gebukt ging. Maar hij wilde niet dat ze er met hem over praatte. Ze zag er geen gat meer in. Ze had het nooit aan iemand verteld, en had er handigheid in gekregen om het weg te redeneren en om hem te verontschuldigen, vooral tegenover de kinderen. Maar het was voor niemand in het gezin een geheim wat er met hem aan de hand was, en waarom. Eerst was, door zíjn schuld, zijn jongste zoon bijna verdronken en door het ongeluk stom geworden. Daarna had hij zijn lievelingszoon verloren. Die last was te zwaar voor hem. Hij kon de gedachte niet verdragen. En wanneer hij dronk, hoefde hij niets te denken of te voelen. Het was een ideale ontsnappingsweg voor hem.

'Wat gaat er nu gebeuren?' Alice keek nieuwsgierig naar haar zoon. Ze had het zich de hele dag lopen afvragen, nog steeds onzeker of wat ze gezien had echt was of een droom. Het was heel bijzonder, en het zou onmogelijk zijn geweest om het iemand uit te leggen. Ze zou het niet in haar hoofd halen om het te proberen. 'Hoe gaat dit in zijn werk? Ben je de hele tijd in de buurt, of is het meer een komen en gaan?' Het vreemdste was dat ze normaal praatten, en ze vroeg zich af of de mensen hen ook zouden horen als ze langsliepen. Wat dat betreft moesten ze heel voorzichtig zijn, anders zouden de mensen nog denken dat ze voortdurend in zichzelf praatte en gek was geworden, want hem konden ze niet zien.

'Mijn werk zal wel uit een komen en gaan bestaan, denk ik. Ik wil ook tijd aan Becky besteden.' Tijdens het praten had zijn blik iets verdrietigs gekregen. Hij had gezien hoe stil Becky vandaag was geweest en het had hem aangegrepen. Het had hem duidelijk gemaakt hoeveel mensen door zijn dood waren geraakt. Dat was ook de reden dat hij was thuisgekomen. Er waren te veel dingen mis, te veel dingen die nog afgemaakt moesten worden. Hij wist dat hij een hoop te doen had en niet veel tijd had.

Toen stond hij op van haar bed en liep naar de deur

van de kamer. Daar stond hij stil en glimlachte naar haar.
'Het is prettig om thuis te zijn, mam.' Ook al was het maar voor een poosje, beiden vonden het fijn.
'Het is fantastisch om je bij me te hebben, schat. Ik heb je zo gemist.' Haar woorden drukten bij lange na niet uit wat ze voelde.
'Ja,' zei hij zacht. 'Voor mij geldt hetzelfde. Ik ga nu naar beneden om papa te zien.'
'Kan hij jou ook zien?' Ze leek verrast door wat hij zei. Ze geloofde niet dat Jim hem ook kon zien. Johnny moest erom lachen.
'Natuurlijk niet, mam. Dat meen je toch niet? Hij zou helemaal de zenuwen krijgen.'
'Ja, daar ben ik ook bang voor,' zei ze. Ook zij moest lachen.
'Ik wil mezelf er alleen maar van overtuigen dat alles met hem in orde is. En ik wil even naar mijn kamer voor wat spulletjes. Wat is er gebeurd met de schoolblazer met mijn clubkleuren? Je hebt hem toch niet weggegeven?'
'Natuurlijk niet. Bobby mocht van mij het jasje even aantrekken. Ik bewaar het voor hem. Ik heb tegen hem gezegd dat het eens van hem zou zijn, zijn ogen straalden. Hij moet nog heel wat groeien voor het zover is.' Ze wisselden een glimlach.
'Misschien vindt Charlotte het leuk om het in de tussentijd te dragen,' zei hij grootmoedig. Hij had het constant aangehad, zo trots was hij erop geweest.
'Volgens mij vindt papa dat alleen jij het mag dragen en niemand anders. Het hangt in je kast. Alles is er nog.' Ze had niets verplaatst, veranderd of weggegeven. De kamer met al zijn trofeeën, vaantjes en foto's was een

heiligdom voor haar. Ze kwam er bijna nooit meer, hoewel dat de eerste paar weken wel het geval was geweest. Ze vond het gewoon prettig te weten dat het er was, als een deel van hem.

'Probeer wat te slapen, mam. Morgenochtend ben ik er weer.' Het was precies zoals het een paar maanden geleden was geweest, toen hij altijd kwam om haar welterusten te zeggen, haar verliet om Becky te bellen en daarna naar zijn kamer ging.

'Slaap lekker, schat.' Stilletjes zat ze daar en dacht aan hem, en een poosje later slenterde Charlotte binnen. Haar haar was nat, ze had er net gel in gedaan. Ze keek haar moeder vragend aan.

'Met wie was je daarnet aan het praten? Was papa hier boven?' Beiden wisten dat Bobby sliep als een roos. Toen ze van de gang naar haar kamer liep, had ze haar moeder horen praten, en ze had geen flauw idee tegen wie ze het had.

'Ik was aan het bellen,' zei Alice zonder een spier te vertrekken. Papa is nog beneden. Waarschijnlijk is hij in slaap gevallen.'

'Als je nog meer nieuwtjes hebt?' zei Charlotte met een misprijzende blik. 'De vader van Peggy Dougal had ook een drankprobleem... Hij heeft hulp bij de AA gezocht.'

'Peggy Dougals vader is in de gevangenis beland wegens rijden onder invloed,' zei Alice afwerend. 'En hij raakte zijn baan kwijt. De rechtbank heeft hem naar de AA gestuurd, dus hij moest wel. Dat is niet te vergelijken.' In de jaren na het ongeluk had ze het Jim verschillende keren voorgesteld, maar hij had altijd de boot afgehouden en haar afgeblaft. Hij zag de noodzaak er niet van in om naar de AA te gaan en zei altijd dat hij het gewoon lekker vond om een paar biertjes te drinken. En Alice wist dat ze hem pas zover kon krijgen als hij zelf zover was. Het was aan hem. En wat ze ook zei, niets kon hem doen inzien wat voor alle anderen overduidelijk was.

'Het mag dan misschien niet hetzelfde zijn als met de vader van Peggy, maar heb je weleens geprobeerd om 's avonds met papa te praten, mama? Hij begrijpt zelfs niet wat je zegt.' Meestal kon hij niet goed meer uit zijn woorden komen.

'Ik weet het, schat.' Alice wist niet wat ze tegen haar moest zeggen. Het was de eerste keer dat Charlotte erop had gezinspeeld dat haar vader alcoholist was. Alice had het lef niet om te zeggen dat ze ongelijk had. Ze was altijd eerlijk tegen haar geweest, zelfs nu. En of hij nu wel of niet naar de AA moest, hij moest eerst zichzelf het ongeluk vergeven. En hij moest het feit accepteren dat hij zijn zoon had verloren. Maar zo te zien gebeurde dat niet. Het had er alle schijn van dat hij zich steeds verder van hen verwijderde. Het enige kind met wie hij ooit een band had gehad, was er niet meer, en de twee anderen schenen voor hem niet te bestaan. Soms vroeg Alice zich af of hij eigenlijk wel wíst dat ze bestonden. Hij praatte nooit met ze, gaf nooit te kennen dat hij blij was ze te zien. Toch had hij het heerlijk gevonden om urenlang met Johnny te praten: over sport, wedstrijden en uitslagen. Hij had nu niemand meer om mee te praten, zelfs haar niet. 'Het is al laat, schat, je moet naar bed. Ik zal zo meteen papa wakker maken en hem naar boven brengen.'

'Maakt het je niet razend, mam?' vroeg ze met een bedroefde blik. Haar moeder schudde haar hoofd.

'Nee. Alleen soms verdrietig.' Charlotte knikte, liep langzaam de kamer uit en bleef toen staan met haar

hand op de deurkruk, net zoals Johnny had gedaan.
'Is alles goed met je, mam? Voel je je beter nu?'
'Veel beter.' De zakjes bloed hadden wonderen verricht en de medicijnen hadden de pijn verzacht. Maar wat nog beter was: ze kon weer glimlachen. Op een uiterst vreemde wijze en zonder dat ze daar een verklaring voor had, was Johnny thuisgekomen. Ze had weer hoop.

5

De eerste dagen had Alice het druk in en om het huis. Ze had meer dan genoeg te doen, en ze had de dokter beloofd dat ze zou rusten, wat ze ook deed. Jim zette de kinderen voor haar af bij school en een van de andere moeders bracht Bobby met de auto naar huis. Charlotte wist dat haar moeder die week niet naar haar basketbalwedstrijden zou gaan, en zei dat ze daar begrip voor had. En Alice had, nu ze thuis was, alle tijd van de wereld om met Johnny te praten. Als hij er was tenminste.
Zoals hij had gezegd, werd het een komen en gaan. Hij wilde zijn vrienden zien en wilde een kijkje nemen op zijn oude school. Hij had een paar van Charlottes lessen bijgewoond. Hij had tegen zijn moeder gezegd dat ze het goed deed op school, maar dat ze meer belangstelling had voor sport dan voor haar huiswerk. En hij had tegen haar gezegd dat ze dringend bijles voor wiskunde nodig had. Verder deed ze het, voor zover hij kon zien, goed.
Maar Bobby was zijn zorgenkindje. Ook bij hem was hij gaan kijken. Bobby was erg op zichzelf, zei hij. Hij maakte de indruk zich aan niemand te hechten en deed aan geen enkel spelletje mee. Zelfs op deze bijzondere school was hij extreem teruggetrokken. Sinds Johnny's dood ging het slechter met hem dan ooit. Pas vlak voor Alice ziek werd, was hij weer naar school gegaan.
'Wat ben je van plan om met hem te doen, mam? Ik

had gedacht dat hij nu ongeveer wel weer zou praten.' Het zag er niet naar uit dat daar nu veel kans op was, vooral omdat het al vijf jaar duurde. En het was duidelijk dat de jongen zich door de Johnny's dood nog dieper in zichzelf had teruggetrokken.

'Het kan nog steeds gebeuren dat hij op een dag weer praat,' zei Alice hoopvol. 'Misschien wil hij ons iets zo graag vertellen dat hij het probeert.' Voorlopig leek hij zich zo het meest op zijn gemak te voelen.

'Wat zegt de dokter?'

Ze dacht erover na en zuchtte. Het was weer zoals vroeger, toen ze met hem kon praten. Met Jim kon ze zeker niet praten. En Charlotte was nog te jong. 'De dokter zegt dat therapie bij hem niet aanslaat en dat het geen zin heeft om het door te drukken. De laatste keer dat we een poging deden, trok hij zich alleen maar verder in zichzelf terug. Ik denk dat hij het gewoon niet kan.' Soms vroeg ze zich af wat er zou gebeuren als zij er niet meer was. Misschien leerde hij ooit op eigen benen te staan, maar zijn wereld was beperkt, en zou altijd beperkt blijven, als hij zijn afzondering niet doorbrak. Voorlopig had niemand van hen de deur – of, beter gezegd: de sleutel – gevonden.

'Je moet hem eens meenemen naar een wedstrijd van Charlotte. Hij vond het altijd geweldig om naar mijn wedstrijden te gaan,' opperde Johnny. Alice dacht erover na en knikte toen. Dat was zo'n gek idee nog niet. 'Vroeger werd ze er altijd verlegen van als hij kwam kijken, maar ze is sindsdien een stuk volwassener geworden. Nu zal ze het waarschijnlijk niet erg meer vinden.'

'Dat is haar geraden ook,' bromde Johnny tegen haar. Ze was in de keuken twee appeltaarten aan het bakken en hij hield haar gezelschap.

Hij snoof de heerlijke geur op. 'Waarom twee?' vroeg hij, terwijl zijn moeder hem wegjoeg bij de ovendeur. Hij wilde hem openmaken om beter te kunnen ruiken.
'Ik dacht: ik neem er vanmiddag een mee naar de familie Adams. Die zijn zo goed voor ons geweest. Pam heeft papa een paar keer avondeten gebracht toen ik in het ziekenhuis lag. Sinds jouw dood zijn ze een geweldige steun voor ons.' Wat ze tegen hem zei was zo krankzinnig dat ze plotseling niet verder kon praten en hem aanstaarde. Alle twee moesten ze lachen. 'Heb je in de gaten hoe idioot dit is? Als iemand me zo met je zou horen praten, zou die me waarschijnlijk opsluiten.'
'Ach, er is hier niemand die je hoort, en ze kunnen me niet zien, dus volgens mij is er geen vuiltje aan de lucht,' zei hij, terwijl zij een fikse teug van het voedingssupplement nam dat de dokter haar had voorgeschreven. Maar sinds de tijd dat hij terug was, leek ze zich behoorlijk goed te voelen. In feite beter dan ze zich in jaren had gevoeld, voornamelijk dankzij hem. Het was verbazingwekkend wat het met haar deed nu ze minder verdrietig was. Er was een last van haar af gevallen. Ze had het gevoel of ze twintig jaar jonger geworden was, en zo zag ze er ook uit. Ze vond het alleen jammer dat de anderen hem niet ook konden zien, dat ze niet ook met hem konden praten.
Johnny stond tegen de koelkast geleund en sloeg haar met een grijns gade. 'Mam, als het even kon, zou ik de taarten voor je naar de familie Adams brengen,' zei hij terloops. 'Maar ik denk niet dat zoiets me lukt.'
'Dit is al wonderbaarlijk genoeg, schat,' zei ze. Ze maakte nog steeds een tamelijk verblufte indruk. 'Waarom denk je dat ze je teruggestuurd hebben?'
'Ik weet het niet. Ik denk om bepaalde zaken af te ma-

ken. Vermoedelijk doen ze dat als je te snel geroepen wordt en een hoop onafgemaakte dingen achterlaat.'
'Wat bijvoorbeeld?'
'Jij... Papa... Bobby... Charlotte... Becky... Misschien vonden ze dat jullie het allemaal niet zo goed deden en hulp nodig hadden.'
'Ik denk dat ze het bij het rechte eind hadden,' zei zijn moeder zacht, dankbaar voor de extra dagen die ze met hem kreeg. Die dagen waren een buitengewoon geschenk en ze genoot van iedere minuut. 'Hoe lang laten ze je blijven, denk je?'
'Zo lang als het duurt,' zei hij cryptisch.
'Om wat te doen?' Ze begreep nog steeds niet wat zijn taak zou zijn, maar dat wist hij zelf ook niet.
'Ik weet het niet. Misschien wordt er van me verwacht dat ik het zelf uitzoek. Ze hebben me niet veel verteld.'
Ze durfde hem niet te vragen wie die 'ze' waren. Hij had geen aureool, geen vleugels, vloog niet, verplaatste zich niet door muren en dichte deuren. Hij liep gewoon rond zoals hij altijd had gedaan, hing rond in de keuken, zat aan het voeteneinde van haar bed. Hij zag er net zo uit als vier maanden geleden, rook hetzelfde, voelde hetzelfde en klonk hetzelfde, en telkens als ze zijn hand aanraakte, een kus gaf op zijn wang of haar armen om hem heen sloeg, was hij warm. Zijn terugkeer was het mooiste cadeau dat ze ooit had gehad en ze was ongelooflijk dankbaar om hem hier bij zich te hebben, voor hoe lang het ook mocht zijn.
Hij zat in de woonkamer tv te kijken toen ze wegging om Bobby op te halen. Ze vroeg of hij mee wilde. Hij aarzelde even en besloot toen mee te gaan. Terwijl ze reden, praatten ze over een aantal dingen: over zijn schoolkameraden en lievelingsspelletjes van vroeger,

over de studiebeurs die zoveel voor hem had betekend, over zijn kindertijd, waaraan hijzelf en de andere leden van het gezin zulke mooie herinneringen bewaarden. Onder het rijden maakte hij haar verscheidene keren aan het lachen door haar te herinneren aan het kattenkwaad dat hij had uitgehaald, en aan dingen die zij had gedaan. Er zweefde nog steeds een glimlach om haar lippen toen Bobby in de auto stapte. Zodra hij instapte, verdween Johnny.

'Dag, schat. Heb je een leuke dag gehad?' Het kwam zo nu en dan voor dat Bobby knikte, maar vanmiddag niet. Hij keek alleen maar naar haar, en wierp toen een snelle blik op de achterbank, alsof hij daar iets bespeurde. Terwijl ze wegreden, keek hij uit het raampje en zweeg in alle talen.

Thuis gaf ze hem koekjes en melk. Hij ging rustig de trap op, toen de telefoon ging. Ze nam op. Het was Pam. Ze was nog aan het werk, maar ze wilde wat roddels aan haar kwijt. Alice zei dat ze een appeltaart voor haar had gebakken, en Pam klonk blij. Alice sprak af dat ze de taart zou komen brengen als Pam klaar was met haar werk.

Toen ze langskwam, had ze Bobby bij zich. De kinderen uit het gezin Adams zaten elkaar als dollemannen na door de keuken en de woonkamer. Becky was het avondeten voor hen aan het koken. Haar lange blonde haar had ze opgestoken. Ze maakte een wat geagiteerde indruk omdat de hamburgers dreigden te verbranden, maar Alice vond dat ze er iedere dag mooier uitzag. Het maakte het dubbel verdrietig dat Johnny er niet meer was. Ze zouden zo'n stralend bruidspaar zijn geweest. In de vier maanden dat hij dood was, had Becky voor geen enkele andere jongen belangstelling ge-

had. Ze was nog maar achttien, maar ze leek een al even eenzelvig leven te leiden als haar moeder. Becky voelde zich op haar manier weduwe. Het enige dat ze deed was naar haar werk gaan en thuiskomen om te helpen bij de verzorging van de kinderen. Sinds de dood van Johnny was ze zelfs niet meer naar de film geweest. Alice zei tegen haar dat ze zichzelf ertoe moest zetten om af en toe eens uit te gaan.
'Ik krijg haar het huis niet uit, behalve als ze naar haar werk moet,' klaagde Pam. Ze maakte zich zorgen om haar. Maar zij had hetzelfde gedaan tijdens de twee jaar die sinds Mikes dood waren verstreken.
'Jullie moeten alle twee meer uitgaan. Waarom laat je mij of Charlotte niet af en toe oppassen?' Alice was er niet helemaal zeker van of Charlotte gecharmeerd zou zijn van het idee, maar het zou leuk zijn om voor de verandering eens iets terug te doen.
De twee vrouwen kletsten een poosje en Bobby zat stil naar de andere kinderen te kijken. Hij maakte geen aanstalten om mee te doen en ze vroegen het ook niet aan hem, hoewel een paar van de kinderen van zijn leeftijd waren. Hij was volkomen op zichzelf. Hij leek praktisch onzichtbaar voor hen, terwijl hij hen bij alles wat ze deden gadesloeg. En toen er in de woonkamer met veel kabaal van alles viel en ze zich omdraaide, zag ze Johnny achter Becky aan de trap op lopen. Ze staarde naar hem, stomverbaasd hem daar te zien. En toen Becky terugkwam om naar het eten te kijken, stond hij naast haar bij het fornuis. Ze was zich in het geheel niet bewust van zijn aanwezigheid. Alice deed haar best om Pam te volgen. Ze had net iets gezegd over een man die ze op haar werk had ontmoet. Maar Alice kon zich met geen mogelijkheid herinneren wat ze precies had ge-

zegd. Ze kon haar ogen niet van Johnny afhouden, die toekeek hoe Becky de maïskolf die ze had gekookt met boter bestreek. Met een grijns op zijn gezicht draaide hij zich om naar zijn moeder en zwaaide. Ze glimlachte.

Toen het gezin een paar minuten later aan tafel ging voor het avondeten, vertrokken Bobby en zij. Zodra ze thuis waren, ging hij naar boven. Johnny zat aan de keukentafel op haar te wachten en glimlachte naar haar. Ze wachtte tot ze Bobby's deur hoorde dichtgaan en barstte toen los.

'Wat deed je daar?'

'Hetzelfde als jij, mam. Gewoon even op bezoek. Jee, wat ziet Becky er fantastisch uit.'

'Het was heel raar om jou vlak bij haar te zien. Ik kon niet eens meer verstaan wat Pam tegen me zei.' Bij de gedachte werd ze weer nerveus, en Johnny moest om haar lachen.

'Vertel mij wat. Je had de uitdrukking op je gezicht moeten zien.'

'Ze hebben vast gedacht dat er iets met me loos was. Maar ze zouden het nog gekker vinden als ze me met je hoorden praten. We moeten voorzichtig zijn,' zei ze waarschuwend tegen hem, maar hij maakte een onbekommerde indruk.

'Natuurlijk, mam, ik weet het,' zei hij, en hij klonk als de zeventienjarige die hij was. Even later vloog hij de trap op, op weg naar Bobby's kamer. Alice vond het fantastisch dat hij er was, maar het was beslist vreemd om hem hier in huis te hebben. En toen Charlotte binnenkwam na haar basketbaltraining, keek ze haar moeder op een eigenaardige manier aan.

'Hoe was je dag?' vroeg Alice haar, zoals ze altijd deed.

De sfeer van normaal met elkaar omgaan die ze in stand probeerde te houden, voelde als een pruik die scheef was gaan zitten.
'O, goed,' antwoordde Charlotte. Ze keek haar moeder onderzoekend aan en besloot haar toen te vertellen wat ze had gehoord. 'De moeder van Julie Hernandez zei dat ze je vandaag in de auto zag, en dat je lachte en in jezelf praatte. Mam, het gaat toch wel goed met je?'
Charlotte begon zich af te vragen of de medicijnen voor haar maag bezig waren haar moeder krankzinnig te maken. Had niet ook zij haar de vorige avond in zichzelf horen praten? Haar moeder had gezegd dat ze een telefoongesprek had gevoerd, maar om de een of andere reden geloofde Charlotte haar niet.
'Met mij is niets mis, hoor. Ik praatte tegen Bobby. Hij lag op de achterbank,' legde ze uit.
'Volgens haar was je op weg naar zijn school.'
'Ik denk dat ze dingen door elkaar haalt,' zei Alice rustig. Charlotte haalde haar schouders op, maar gedeeltelijk overtuigd. Haar moeder was de laatste dagen beslist niet zichzelf. Ze was opgewekter dan ze in maanden was geweest en maakte soms een bijna schuldige indruk, alsof ze iets had gedaan wat niet mocht. Onwillekeurig, en heel eventjes, kwam bij Charlotte de afschuwelijke vraag op of haar moeder ook was gaan drinken. 'Hoe was je wedstrijd?' vroeg Alice, alsof er niets was gezegd.
'O, wel goed, geloof ik. We hebben gewonnen.'
'Al te enthousiast klink je niet,' zei Alice, die haar aandachtig opnam. Charlotte vroeg erg weinig van haar, en er waren hele periodes geweest dat ze in de schaduw van haar broers had gestaan, van wie de ene een grote held en een hele ster was, en de andere speciale ver-

zorging behoefde. Onder dergelijke omstandigheden kon je gemakkelijk het contact met Charlotte verliezen, en Alice was er zich scherp van bewust hoe oneerlijk dat was. Ze deed haar best om het goed te maken, maar de laatste tijd leek Charlotte iedereen uit de weg te gaan, zelfs haar, en was ze erg teruggetrokken.
'Ik ben ook niet enthousiast,' schokschouderde Charlotte, waarna ze wegging om te bellen.
Alice ging koken en vlak voor het eten kwam Jim thuis. De gebruikelijke plichtplegingen volgden, en zoals nu steeds het geval was, was het avondeten een ongezellige bedoening en werd er te weinig tijd aan de maaltijd besteed. Het enige dat ze wilden was eten, ieder voor zich, en dan zo snel mogelijk van tafel en naar hun kamers. Na het eten ging Jim voor de tv zitten, en nadat Alice de vaat had opgeborgen kwam ze, vlak voordat ze naar boven zou gaan om te slapen – het was een lange dag geweest – even bij hem op de bank zitten om met hem te praten.
'Gaat alles goed op het werk?' vroeg ze.
'Prima,' zei hij, zonder haar aan te kijken en zijn aandacht op haar te richten. 'Hoe voel je je nu?'
'Fantastisch.' Het was nauwelijks te geloven dat ze een paar dagen geleden nog zo ziek was geweest.
Hij wierp een snelle blik op haar. 'Vergeet niet je medicijnen in te nemen,' zei hij, en ze was ontroerd door zijn bezorgdheid. Ooit waren ze de beste maatjes. In het begin van hun huwelijk waren ze gek op elkaar geweest. Maar daarna waren de dingen niet al te succesvol voor hem verlopen. Zijn zaak was nooit echt van de grond gekomen en hij was begonnen met drinken. In het begin dronk hij niet veel, maar het was net genoeg om hem anders te maken. Vervolgens had hij dat ongeluk

gekregen en was alles veranderd. Hij had zich verschanst op een plek waar Alice hem niet meer kon bereiken. Maar toen hij zoëven naar haar keek, had ze een fractie van een seconde een glimp opgevangen van de man die ze zich nog steeds herinnerde en die ze altijd had liefgehad. 'Ik ben blij dat je je beter voelt. Je hebt me de stuipen op het lijf gejaagd. Ik kon niet...' Hij wilde iets zeggen, maar zweeg toen. 'We hebben in dit gezin al genoeg ellende meegemaakt,' zei hij bruusk. Toen wendde hij zich af en richtte zijn aandacht weer op de tv. En voordat ze iets kon antwoorden, had hij haar uit zijn gedachten verbannen en was hij onbereikbaar voor haar.

Ze boog zich naar hem over om hem een kus op zijn wang te geven. 'Dank je, Jim,' zei ze. Maar hij deed of hij het niet merkte en reageerde niet. Hij stond op om een nieuw biertje te halen en liet haar daar zitten. Hij treuzelde net zo lang in de keuken tot ze het opgaf en naar boven ging, met haar gedachten bij hem.

Ze keek even hoe het met de kinderen ging. Alles leek goed met ze. Bobby gooide met een bal tegen de muur van zijn kamer en Charlotte was haar huiswerk aan het maken. Toen Alice terugliep naar haar eigen kamer, hoorde ze een geluid in de kamer van Johnny. Ze deed voorzichtig de deur open en zag hem in het maanlicht staan. Hij glimlachte naar haar. Hij had zijn schoolblazer met de clubkleuren aan, die hij zo graag droeg. Ze stapte naar binnen en deed zachtjes de deur dicht.

'Wat doe jij hier?' fluisterde ze. Geen van tweeën durfde het licht aan te doen, uit angst dat iemand hen zou zien.

'O, ik ben wat aan het rondsnuffelen. Ik vond een paar te gekke foto's van Becky, van afgelopen zomer toen ze samen met ons bij het meer was.'

'Ik zie dat je je jasje hebt gevonden.' Hij was zo gegroeid in de afgelopen vier jaar dat hij het bijna niet meer aan kon, maar hij was er zo op gesteld dat hij er zelfs niet mee zat dat de mouwen wat aan de korte kant waren en dat het te krap zat in de schouders.
'Waarom bekijk je je spullen morgen niet? Straks hoort iemand je nog.'
'Ik durf te wedden dat hier nooit iemand komt.'
'Íḱ kom er,' zei ze verdrietig. Ze liet haar blik door de kamer dwalen en keek toen naar hem. Het was goed om hem weer hier in deze kamer te zien.
'Hoe komt het dat je niets hebt weggedaan? Ik was bang dat alles weg zou zijn, of dat het ergens verpakt stond in dozen.'
Alice keek hem aan. 'Dat kon ik niet,' zei ze.
'Misschien moet je het toch doen,' zei hij gedecideerd. 'Het is nogal triest om alles hier zo te zien liggen... ook al ben ik blij dat je het voor me hebt bewaard.' Ze glimlachte om wat hij zei, ging op het bed zitten en sloeg haar ogen naar hem op.
'Ik had nooit gedacht je hier nog eens te zien. Maar hoe zou ik deze kamer kunnen uitruimen? We zouden nog meer van je kwijtraken dan nu al het geval is.'
'Ik ben die kamer niet, mam. Je bewaart me hier.' Hij wees op zijn hart. 'En je zult me altijd met je meedragen. Dat weet je.' Hij ging naast haar op het bed zitten en sloeg een arm om haar heen. 'Ik ga nergens heen, zelfs niet als ik weer terugga. Ik zal altijd hier bij jou zijn.'
'Dat weet ik. Maar ik ben zo gehecht aan al deze spulletjes... aan je foto's... aan je bekers en medailles.' De kamer rook nog steeds naar hem. Nu zelfs nog meer, nu hij naast haar zat. Hij rook naar verse zeep en af-

tershave en naar zichzelf, een frisse jongenslucht die in de kamer bleef hangen en haar altijd aan hem deed denken.
Ze zaten een tijdje te praten en ten slotte ging hij met haar terug naar haar slaapkamer, waar ze hun gesprek vervolgden. Het was zo warm in de kamer dat hij zijn jasje uittrok en op een stoel deponeerde. Eén keer kwam Charlotte binnen en keek haar bevreemd aan. Ze had haar moeder weer horen praten en begon zich over haar te verbazen. Ze wilde een trui lenen om morgen bij een broek te dragen. Nadat ze was weggegaan naar haar kamer, sprak Johnny zijn moeder vermanend toe.
'Je moet haar niet toestaan om jouw dingen te dragen, mam. Ze wil alleen maar indruk maken op de jongens uit haar klas en die uit de hogere klassen. Laat ze haar eigen spullen dragen.'
'Ze heeft maar één moeder. En ik heb maar één dochter, Johnny. Ik vind het prima als ze mijn spullen leent, zolang ze ze maar terugbrengt.'
'En doet ze dat ook?' Hij trok sceptisch zijn wenkbrauwen op. Ze keek hem verlegen lachend aan.
'Niet altijd.'
'Houd haar een beetje in de gaten als ze mijn schoolblazer leent. Ik wil niet dat ze hem ergens laat liggen.' Ze hadden al afgesproken dat Bobby hem uiteindelijk zou krijgen.
Na een poosje ging hij terug naar zijn eigen kamer om nog wat rond te kijken. Alice was net bezig haar nachthemd aan te trekken, toen Jim binnenkwam. Het jasje van Johnny lag nog op de stoel. Hij schrok toen hij het zag en fronste zijn wenkbrauwen.
'Wat doet dat hier?'
'Ik... Ik bekeek het alleen maar,' zei ze, en ze ontweek

zijn blik, zodat hij haar gezicht niet kon zien. Jim had het meteen door als ze tegen hem loog, iets wat ze overigens zelden deed.
'Je moet niet naar zijn kamer gaan,' zei hij gedecideerd. 'Je raakt er alleen maar door van streek.'
'Soms voelt het goed om daar gewoon wat te zitten, met zijn spulletjes, en aan hem te denken,' zei ze zacht. Hij schudde zijn hoofd en liep naar de badkamer om zijn pyjama aan te trekken. Het was een tamelijk bescheiden man, maar dat had ze altijd leuk aan hem gevonden. In de tijd dat hij zich nog niet te buiten ging aan drank, waren er veel dingen geweest die ze in hem had gewaardeerd. De afgelopen twee dagen waren de herinneringen aan die tijd steeds vaker naar boven gekomen – waarom wist ze niet. Het was of ze niet de man van nu zag, maar de man zoals ze zich die van vroeger herinnerde.
Toen Jim de badkamer uit kwam, wees hij haar er nog eens op dat het jasje van Johnny daar niet hoorde. Morgen moest ze het opbergen in zijn kast. 'Het is geen speelgoed, zorg dat de kinderen het niet te pakken krijgen,' zei hij vermanend. 'Die laten het maar ergens liggen. Het was Johnny's trots.'
'Dat weet ik. Ik heb hem beloofd dat ik het zou bewaren voor Bobby,' zei ze, zonder te beseffen hoe merkwaardig dat klonk.
'Wanneer heb je hem dat beloofd?' Hij maakte een verbouwereerde indruk.
'Een hele tijd geleden. Toen hij het jasje nog maar net had.'
'O.' Jim knikte en nam genoegen met haar uitleg. Alleen al het feit dat hij het daar zag liggen vond hij afschuwelijk. Het riep maar herinneringen op aan alles

wat hij was kwijtgeraakt en nooit meer terug zou krijgen. Als hij het had gekund, zou hij het meteen hebben teruggebracht naar Johnny's kamer, maar hij wilde daar niet naar binnen.

Jim ging naast haar liggen en deed het licht uit. Het huis was gehuld in stilte. Onwillekeurig vroeg Alice zich af waar Johnny was. Was hij weer naar een van die plaatsen waar hij heen ging als hij niet met haar praatte, of was hij nog op zijn kamer om paperassen door te nemen en in zijn bureau te snuffelen? Terwijl ze naast Jim lag, dacht ze aan haar zoon en glimlachte. En ze was verbaasd toen Jim een arm om haar heen sloeg. Het gebeurde bijna nooit meer dat hij haar liefkoosde. Meestal had hij zoveel gedronken dat de gedachte niet eens bij hem opkwam. Toch deed hij het af en toe nog, maar de gelegenheden waren schaars geworden. Wanneer de kinderen in bed lagen, lag hij negen van de tien keer beneden in zijn stoel zijn roes uit te slapen. Het was iets waarmee Alice zich verzoend had. Ook hun liefdesleven was doodgebloed door de tegenslagen die ze de afgelopen jaren hadden moeten incasseren.

'Zorg ervoor dat je niet weer ziek wordt, Alice,' zei hij, op dezelfde toon als waarop hij eerder op de avond tegen haar had gepraat toen ze op de bank zaten, een toon vol tederheid, bezorgdheid en liefde.

'Dat zal ik doen. Ik beloof het.' Hij knikte, draaide zich om en viel in slaap. Ze keek naar hem terwijl hij zachtjes lag te snurken, en vroeg zich af of het leven ooit weer hetzelfde zou zijn. Groot leek die kans niet.

6

De eerstvolgende dagen was Johnny voortdurend op pad. Nu eens was hij thuis, dan weer zat hij bij de familie Adams. Hij scheen veel tijd te steken in het observeren van Becky, en toen hij op een keer laat in de middag bij zijn moeder arriveerde, zag hij er ongelukkig uit.
'Waar heb je gezeten?' Ze klonk als de moeder van een gewone tiener. Hij moest lachen om haar vraag en stapte naar binnen.
'Ik was bij Becky thuis. De kinderen gingen vreselijk tekeer. Ze werd er gek van.'
'Ik neem aan dat je haar niet geholpen hebt met de kinderen,' zei zijn moeder plagerig.
'Als ik had gekund, zou ik het hebben gedaan, mam.' Hij had altijd goed met hen overweg gekund en was erg op hen gesteld. 'Het enige dat ik kon doen, was een oogje in het zeil houden en ervoor zorgen dat niemand een doosje lucifers te pakken kreeg en het huis in de as legde. Het is me een stelletje. Ze is vandaag niet naar haar werk gegaan om haar moeder een handje te helpen. Twee van de kinderen hadden griep en konden niet naar school. Maar dit is geen leven voor Becky. Ze heeft behoefte aan meer dan alleen dat. Toen ik er was, lukte het haar tenminste nog om zo nu en dan uit te gaan en plezier te hebben. Ze gaat tegenwoordig nergens meer heen, mam.'
'Ik weet het. Dat zeg ik ook steeds tegen Pam. Ze moeten allebei wat vaker uitgaan.'

'Ik weet niet zeker of ze het zich kunnen veroorloven,' zei Johnny eerlijk. Hoe afschuwelijk hij het ook vond om haar met een ander te zien, hij wist dat Becky een vriendje nodig had. Hij kon er niets aan doen, maar hij besefte dat ze op haar achttiende recht had op een rijker leven dan ze nu leidde. De zorg voor haar broertjes en zusjes kwam evenzeer op haar neer als op haar moeder. Soms nog meer, omdat haar moeder meer uren werkte. Het maakte hem verdrietig dat Becky nooit meer plezier had.
'Ik heb aangeboden om op te passen. Charlotte zou me kunnen helpen.'
'Dan moet het je eerst lukken om haar van het basketbalveld te slepen, wat ik betwijfel. Het zal wel ergens tussen het basketbal- en honkbalseizoen in worden. Zeg, waarom proberen we papa niet zover te krijgen dat hij naar een wedstrijd van haar gaat, mam?'
'Dat heb ik geprobeerd,' zei ze ongelukkig. 'Hij vertikt het om te gaan. Hij is nog nooit geweest. Jij weet net zo goed als ik dat hij het stom vindt als meisjes aan sport doen.'
Johnny maakte onmiddellijk een geïrriteerde indruk. 'Ze is een fantastisch sporter, veel beter dan ik was. Als hij nou eens één keertje ging kijken, dan kon hij zich daar zelf van overtuigen.'
'Jawel, maar dat doet hij niet,' zei Alice, waarmee ze het onderwerp afsloot. Zijzelf had het honderden keren tegen Jim gezegd, maar hij had gezegd dat hij zijn vrije tijd niet ging verspillen met kijken naar een stel meisjes dat een jongenssport beoefende, en nog slecht ook. Het had geen zin om het er nog verder met hem over te hebben. Alice kon het weten; ze had het jaren geprobeerd.

'Niet alleen zij loopt iets mis, maar hij ook,' zei Johnny. Hij maakte een ontgoochelde indruk.
'Ik ga. Dat is in ieder geval iets.' Maar alle twee wisten ze dat dat niet was wat Charlotte wilde, althans niet alles. Ze wilde aandacht en waardering van haar vader, en tot nu toe was het haar niet gelukt die te krijgen. Alice maakte zich zorgen over wat het later met haar zou doen wanneer ze terugblikte en zich herinnerde dat haar vader geen van de wedstrijden die ze had gewonnen had gezien, dat hij haar nooit een homerun had zien slaan, of had gezien dat ze een beker of een medaille won. En zij had er bijna evenveel als Johnny, met inbegrip van een prijs voor 'de meest waardevolle speler', die ze had gekregen voor haar glansrol in de honkbalcompetitie van het afgelopen seizoen. Haar foto had zelfs in de krant gestaan. Jim had er tegen haar met geen woord van gerept. Maar als Bobby wedstrijden had kunnen spelen, zou hij er vol van zijn geweest en had hij het al zijn vrienden verteld.
Johnny ging die dag weer met zijn moeder mee om Bobby af te halen van school. Onderweg praatten zijn moeder en hij honderduit. En Bobby leek opgewekter. Nadat hij was ingestapt, draaide hij zich om en keek recht naar Johnny op de achterbank. Toen keerde hij zich om en keek uit het raampje. Tijdens de rit naar huis praatte zijn moeder met hem. Ze deed altijd alsof ze verwachtte dat hij haar antwoord zou geven, maar was niet uit haar doen als dat niet gebeurde.
Zodra ze thuis waren, gaf ze hem melk en koekjes. Johnny was naar boven gegaan, naar zijn kamer, om zijn jasje op te bergen. Een paar minuten later vloog Bobby de trap op; Alice bleef in de keuken om groente te snijden voor het avondeten. Ze had beloofd dat ze Char-

lottes lievelingseten zou maken: gebraden kip, aardappelpuree en courgettebeignets.
Charlotte kwam die middag laat thuis. Bijna onmiddellijk ging ze naar buiten om wat te basketballen, net zoals Johnny had gedaan toen hij zo oud was. Na een poosje kreeg Alice het koud en ze ging naar boven om een trui te halen. Ze hoorde geluid uit Bobby's kamer komen. Hij was een van zijn cassettebandjes met gesproken teksten aan het draaien. Ze had ze gekocht om hem te stimuleren, maar de cursus had niet geholpen. Toch was het geen gek idee geweest. Ze stak haar hoofd om de hoek van de deur en wierp hem een kus toe. En ze zag Johnny in de vensterbank zitten. Hij keek naar Bobby en zei niets. Alice gaf hem een knipoog en ging toen weer naar beneden, naar de keuken. Ze was bijna klaar met het avondeten toen Johnny de trap af kwam en verlekkerd naar een schaal met koekjes keek. Maar hoe normaal hij er in haar ogen ook uitzag, hij kon ze niet eten. Er waren een paar dingen die hij moest missen, en van die dingen miste hij haar koekjes en appeltaart het allermeest.
'Is alles goed met Bobby?' vroeg ze. Ze legde net de laatste hand aan de courgettebeignets en maakte een verstrooide indruk.
Johnny ging op een van de keukenkrukken zitten. 'Het gaat prima met hem,' zei hij zakelijk. Hij zwaaide met zijn benen op dezelfde manier als Bobby altijd doet. 'Hij ziet me,' zei hij, waarna hij wachtte hoe zijn moeder op die woorden zou reageren.
'Wie ziet je?' vroeg ze, terwijl ze iets terugzette in de koelkast en er iets anders uit haalde.
'Bobby,' zei Johnny grijnzend. Ze draaide zich schielijk om en keek hem aan.

'Hoe weet je dat?'
'Ik voel het. Bovendien heeft hij me aangeraakt,' zei hij, alsof het de normaalste zaak van de wereld was.
'Mocht dat van jou, als je begrijpt wat ik bedoel? Hoort dat wel bij je opdracht?'
'Ik weet het niet. Ik had niet gedacht dat iemand dat kon, op jou na dan. Maar hij kan het ook.' Zo te zien maakte het hem blij.
'Je hebt hem toch niet de stuipen op het lijf gejaagd?' vroeg ze met een bezorgde blik.
'Natuurlijk niet. Waarom zou hij bang voor me zijn? Vond je dat hij een angstige indruk maakte, toen je daarnet de kamer binnenkwam?'
'Nee, dat niet.' Maar hij kon het natuurlijk niemand vertellen. Misschien was dat de reden waarom Bobby hem ook mocht zien van 'ze'. 'Wat heb je hem verteld?' vroeg ze.
'Dat ik ben teruggekomen voor een bezoek en dat ik niet kan blijven. Dat ik hier korte tijd ben. Zo'n beetje wat ik jou heb verteld. Het is de waarheid. Hij was blij me te zien. God, wat hou ik van hem, mam.' Johnny was altijd de dikste maatjes met hem geweest. De zomer dat Jim en Bobby het ongeluk kregen, was hij dertien. In het begin had Johnny gedacht dat Bobby het niet zou overleven en was hij volkomen ontredderd geweest. Sindsdien was hij altijd zijn grote beschermer gebleven.
'Ik heb een hele tijd met hem gepraat; ik heb gezegd dat ik hem wilde zien omdat ik helemaal geen afscheid van hem genomen had.' Terwijl ze luisterde vulden de ogen van Alice zich met tranen. Toen glimlachte ze naar haar zo teerbeminde zoon. Ze hield van al haar kinderen, maar meer dan ooit besefte ze hoe zielsveel ze van dit kind hield.

'Dan heb ik jou zeker gehoord toen ik boven was. Ik dacht dat het een van de bandjes was die ik voor hem heb gekocht. Pas maar op dat Charlotte en papa je niet tegen hem horen praten.' De vraag was of ze dat konden. Toen maakte hij een hoofdbeweging. Bobby kwam de keuken binnengelopen en grijnsde breed toen hij Johnny met zijn moeder zag.

'Dit is behoorlijk spannend, hè, Bobby?' zei ze zacht. Hij keek van de een naar de ander en knikte. 'Maar we mogen het niet verder vertellen.' Niet dat hij dat overigens zou kunnen of zou hebben gedaan. Maar het ontroerde haar dat zijn ogen schitterden. 'Geloof je dat iedereen in het gezin je op den duur te zien krijgt?' vroeg Alice aan Johnny. 'We hebben je allemaal gemist, Charlotte en papa ook.'

'Misschien is het voor hen minder noodzakelijk dat ze me zien dan voor jullie twee.' Maar de waarheid was dat hij de reden niet wist. Hij zou er alles voor hebben gegeven als Becky hem ook had kunnen zien. Ze miste hem vreselijk, maar het was volstrekt duidelijk dat ze hem niet kon zien. 'Ik weet niet hoe dit alles in zijn werk gaat, of wat de reden is, mam. Het gebeurt gewoon. We moeten het aanvaarden. De regels zijn tamelijk strikt. Er wordt van me verwacht dat ik niemand bang maak, niemand last bezorg en niemands leven in de war stuur. Ik ben hier alleen maar om dingen in orde te maken.'

'Wat voor dingen dan?' Ze was nog steeds nieuwsgierig, en Bobby luisterde oplettend.

'Dat weet ik nog niet. Gewoon, "dingen". Vergelijk het maar met het avondeten klaarmaken, zoiets,' plaagde hij haar, en ze lachte. Op hetzelfde ogenblik hoorden ze de auto van Jim het pad op rijden. Ze wierp een blik

uit het raam om zich ervan te vergewissen dat hij het was, en ze zag dat Charlotte nog steeds aan het basketballen was. En tot haar grote verdriet zag ze Jim straal langs Charlotte heen lopen. Ze keek even naar haar vader. Er werd geen woord gewisseld. Alice draaide zich weer om naar haar beide zonen. Johnny wipte van de keukenkruk, pakte Bobby bij zijn hand en liep met hem de keuken uit, de trap op. Meteen daarop kwam hun vader binnen. Een ogenblik later hoorde Alice de deur van Bobby's slaapkamer dichtgaan. Jim had de deur van de koelkast al open en voorzag zichzelf van een biertje. Ze vond dat hij er uitgeput uitzag.
'Zware dag gehad, schat?' vroeg ze.
'Niet zwaarder dan anders,' zei hij, terwijl ze het avondeten uit de oven haalde. 'En jouw dag?' vroeg hij, zonder veel belangstelling. Hij maakte een buitengewoon afwezige indruk en leek niet in de stemming om te praten.
'Goed. Niets opzienbarends.' Bijna had ze er uitgeflapt: 'Ik was net met de jongens aan het praten toen je het pad op reed', maar dat kon ze natuurlijk niet zeggen. In plaats daarvan tikte ze tegen het raam om Charlotte te waarschuwen, en rende daarna naar boven om Bobby te halen. Johnny en hij zaten op de grond. Ze richtte zich eerst tot haar oudste zoon. 'Luister, schat, je moet even iets voor jezelf gaan doen. Bobby moet nu naar beneden om te eten,' zei ze op fluistertoon.
'Ik zou mee kunnen gaan.' Zo te zien was Johnny een beetje beledigd omdat hij buitengesloten werd, ook al kon hij niet eten. 'Niemand zal me zien, mam.'
'Bobby en ik wel. Wat gebeurt er als we iets doen waardoor we ons verraden?' Dit was toch wel heel maf.
'Dan denkt iedereen dat jullie een klap van de molen

hebben gehad.' Johnny moest om haar lachen en Bobby glimlachte van oor tot oor, iets wat hij maar sporadisch deed. Met Johnny dicht in de buurt zag hij er veel opener en blijer uit dan hij in maanden had gedaan.
'Oké, dan ga ik bij Becky kijken en kom ik na het eten thuis.' Het was of hij weer leefde, zoals hij als aan een elastiekje van het ene naar het andere huis schoot. En hij had veel meer tijd voor hen, zonder werk, studie of welke andere duidelijk omschreven verplichtingen dan ook. Welke klus hij hier ook moest klaren, hij had er duidelijk geen volledige dagtaak aan. Hij bracht veel tijd met zijn moeder en met Bobby door, en met het observeren van Becky. Maar Alice hoefde zich niet langer zorgen om hem te maken; ze was eenvoudigweg gelukkig dat hij er was.
Ze nam Bobby bij de hand en hielp hem de trap af. Johnny volgde hen op de voet. Ze voegden zich bij Jim en Charlotte in de keuken. Charlotte was hem aan het vertellen over de wedstrijd die ze die middag had gespeeld en over hoe goed het gegaan was. Bij uitzondering toonde hij enige belangstelling, maar veel was het niet. En even later onderbrak hij haar en vertelde hij haar over de beker die Johnny had gewonnen met basketbal toen hij net zo oud was geweest.
'Hij was de veelzijdigste sporter die ik ooit heb gezien,' zei Jim trots, en Johnny verhief zijn stem tegen hem, hoewel zijn vader dat niet kon horen.
'Nee, dat is zíj, papa! Je bent toch niet blind?' Maar geen van beiden hoorde het. Hij zwaaide naar Bobby en zijn moeder en liep via de voordeur het huis uit. Hij deed hem zo stil open en dicht dat niemand hem hoorde weggaan. Bobby keek zijn moeder met wijd open ogen aan. Alle twee wisten dat hun een soort wonder

ten deel was gevallen, en het geheim dat ze deelden leek hen dichter bij elkaar te brengen dan ooit tevoren. Terwijl hij tussen zijn vader en Charlotte ging zitten, raakte ze teder zijn schouder aan.

De avond verliep zoals altijd. Johnny kwam pas thuis toen Alice al in bed lag. Ze lag te lezen.

Zijn moeder keek hem over haar leesbril heen aan. 'Hoe ging het met Becky?' vroeg ze. Ze droeg hem sinds kort en Johnny zei dat de bril haar stond, wat haar een glimlach ontlokte.

'Ze heeft morgenavond een afspraakje,' zei hij triomfantelijk.

'O, hoe dat zo ineens?' Alice leek stomverbaasd. Ze hadden het er nog maar net over gehad hoe vreugdeloos haar leven was.

'Vandaag heeft ze in de winkel waar ze werkt een jongen ontmoet. Hij is derdejaarsstudent aan de universiteit van Los Angeles. Hij heeft een semester vrij genomen om in het bedrijf van zijn vader te werken. Vanavond belde hij haar om te vragen of ze zin had om met hem uit te gaan.' Hij klonk blij, maar had er gemengde gevoelens over. De jongen heette Buzz en was echt een knappe verschijning. Bovendien was hij intelligent en voorkomend. Zijn vader was eigenaar van een slijterijketen, en Buzz reed in een Mercedes. Hij hield ook nog eens van kinderen en had zelf drie broers en twee zussen. Er verscheen een peinzende blik in Johnny's ogen. 'Ik weet niet of hij goed genoeg is voor haar,' zei hij tegen zijn moeder. 'Maar toen hij de drogisterij binnenliep, leek hij me wel oké. Hij heeft op dezelfde middelbare school gezeten als wij. Toen hij binnenkwam herkende hij Becky meteen. Hij heeft zijn einddiploma gehaald toen wij in de tweede klas zaten. Hij

vond haar altijd al aardig, maar dit is de eerste keer dat hij haar mee uit vraagt.'
'Heb jij dit voor haar geregeld?' vroeg zijn moeder hem nieuwsgierig en vol bewondering. Als hij dat gedaan had, was dat erg aardig van hem geweest. Zo te zien had hij er zelf ook een goed gevoel over.
'Ik denk het,' zei hij. Hij was noch van zijn invloed, noch van zijn krachten helemaal zeker. 'Trouwens, Charlotte is nog op. Is dat niet een beetje laat voor haar?'
'Valt wel mee,' glimlachte zijn moeder. In sommige opzichten was hij nu erg volwassen, maar in andere opzichten was hij nog steeds haar kleine jongen. 'Ze is veertien. Jij ging op die leeftijd nog later naar bed,' zei ze. Ze vond het vermakelijk dat hij toezicht uitoefende op zijn zus. En net toen ze het zei, zag ze Jim de kamer binnenkomen. Hij zag er moe uit. Geen van beiden had hem gehoord. Hij leek nuchterder dan gewoonlijk op dat uur.
Hij keek haar doordringend aan. 'Met wie was je aan het praten?' vroeg hij.
'O... ik... in mezelf... Dat doe ik soms als ik alleen ben.' Ze deed een poging om onverschillig te kijken.
'Kijk maar uit,' plaagde hij haar. 'De mensen beginnen rare dingen over je te zeggen.' Ze knikte, en Johnny sloop naar zijn eigen kamer. 'Je bent de laatste paar dagen in een ongelooflijk goed humeur. Is daar een speciale reden voor?'
'Gewoon omdat ik me beter voel, denk ik. Volgens mij gaat het goed met mijn maagzweer.' Ze leek ook niet meer zo door verdriet te worden verteerd als eerst. Dat was hem niet ontgaan. Er waren hem meer dingen niet ontgaan. De lekkere maaltijd bijvoorbeeld, die ze van-

avond voor hen had gemaakt, of de ongedwongen manier waarop ze met hem had gepraat. Ze maakte niet zo'n gekwelde en gespannen indruk meer. Met de kinderen ging het ook beter. Hij zou alleen willen dat het met de zaak wat beter ging. Maar in ieder geval leek het gezin langzaam de draad weer op te pakken, wat niet wilde zeggen dat een van hen ooit het verlies van Johnny zou vergeten of weer dezelfde zou zijn. Ook zou hij zichzelf het ongeluk met Bobby nooit kunnen vergeven, en de traumatische gevolgen die het voor de jongen had gehad. Een leven van stilte zou hem altijd blijven herinneren aan het aandeel dat hij daarin had gehad, om het even welke pogingen hij deed om het te vergeten, om het even welke methoden hij gebruikte om zichzelf te verdoven.

Ze lagen in bed en praatten een poosje, en onwillekeurig vroeg ze zich af of hij minder dronk, of dat er gewoon sprake was van gewenning. En alsof het een bevestiging betrof, vond ze de volgende morgen naast zijn stoel in de zitkamer een nog halfvol sixpack. Ze zette het bier net terug in de koelkast, toen Johnny de trap af kwam in zijn schoolblazer. Hij had haar gevraagd of ze hem die morgen naar Pams opleidingsinstituut voor schoonheidsspecialistes wilde rijden. Er was daar iets wat hij wilde zien. Alice had niets anders te doen en dus had ze erin toegestemd om hem daarheen te brengen. Ze vond het heerlijk om hem ergens heen te rijden, net zoals ze had gedaan toen hij nog klein was. Ze had er altijd van genoten om hem bij haar in de auto te hebben en samen ergens heen te gaan.

'Wat moet ik precies tegen Pam zeggen over ons bezoek daar?' vroeg Alice onder het rijden. Hij vermaakte zich met de radio, switchte van de ene zender naar de an-

dere en genoot van zijn lievelingsmuziek. Hij amuseerde zich kostelijk.
'Jee, wat heb ik dat gemist,' zei hij. Hij zag er blij uit en ze lachte. Ze herinnerde hem eraan dat ze Pam nooit eerder op haar werk had bezocht en dat ze dat weleens een beetje vreemd zou kunnen vinden. 'Zeg haar dat je je haar wilt laten doen.'
'En wat dan? Waarom gaan we juist daar naartoe?'
'Ik weet het niet precies. Ik moet daar iemand zien. Daar ben ik vannacht achter gekomen. Ik vertel je er later over,' zei hij, en hij zette de volumeknop zo ver open dat hij niet meer kon verstaan wat ze zei. Vijf minuten later waren ze bij het opleidingsinstituut en ging Alice naar binnen. Pam schrok duidelijk toen ze Alice zag.
'Is alles goed met je?' Pam vond haar een tikkeltje hyper. Ze begon zich af te vragen of ze Alice prozac hadden voorgeschreven tegen haar maagzweer. Haar gedrag was gewoon een beetje eigenaardig geweest en ze maakte nu almaar een overdreven vrolijke indruk.
'Met mij gaat het prima. Het leek me gewoon wel leuk om wat aan mijn haar te laten doen.'
'Waarom? Ga je ergens naartoe?'
'Ik ga straks ergens lunchen,' verklaarde Alice. Ze probeerde gewoon te doen, maar voelde zich een beetje vreemd toen ze al pratend Johnny met een van de haardrogers zag spelen. 'Niet aanzitten, dat is geen speelgoed,' zei Alice. Ze leek ergens door afgeleid; Pam staarde haar aan. Ze had geen idee waar Alice het over had.
'Waar mag niet mee gespeeld worden?'
'Met mijn haar. Speel niet met mijn haar, bedoelde ik. Begin gewoon.'
'Natuurlijk, Alice, geen probleem,' zei Pam op sussende toon. Ze was echt bezorgd, maar Alice zag er prima

uit en was kennelijk in een goed humeur. Het was duidelijk dat haar maagzweer goed genas. Maar ze was de laatste tijd beslist een beetje vreemd.
Pam liet een van haar leerlingen Alices haar wassen. Een paar minuten later wees ze een andere leerling aan om het te knippen. Een derde zou het dan watergolven. En tijdens dit alles liep Johnny in en uit, waarbij hij een gewichtig gezicht trok. Zo te zien had hij het erg druk. Een uur later was zijn moeders haar klaar: een stijlvol pagekapsel. Op dat moment kwam Johnny net weer binnen. Hij had een man in zijn kielzog. Het was een vertegenwoordiger van een lijn van haarverzorgingsproducten. Hij vertelde Pam dat zijn thuisbasis Los Angeles was, maar dat hij naar deze streek was gekomen om zijn producten te demonstreren aan de plaatselijke schoonheidssalons, en aan opleidingsinstituten zoals deze. Hij droeg een jasje en een das, had kortgeknipt haar, zag er vertrouwenwekkend uit en was plezierig en onderhoudend in zijn conversatie met Pam en Johnny's moeder. Alice vond dat hij er erg knap uitzag, maar Pam leek het niet op te merken. Maar toen Alice wegging, waren ze nog steeds in gesprek. Pam had niet gewild dat ze voor haar nieuwe kapsel betaalde en glimlachte toen ze hen uitzwaaide.
'Is dat jouw werk?' vroeg ze haar zoon
Hij deed of zijn neus bloedde. 'Wat voor werk?'
'Heb jij die man mee naar binnen genomen? Die kerel met die haarverzorgingsproducten? Heb jij daar op enigerlei wijze de hand in gehad, Johnny?'
'Ik heb wel iets anders te doen dan Becky's moeder te koppelen aan een onbekende man. Daarvoor ben ik hier niet gekomen,' zei hij, met een waardigheid die niet bij zijn leeftijd leek te passen.

Maar Alice was niet overtuigd. 'Ik vroeg het me alleen maar af.'
's Middags haalden ze Bobby op van school en hij glimlachte toen hij haar kapsel zag. Johnny zat naast hem op de achterbank en onderweg naar huis knalde de muziek opnieuw uit de speakers. Johnny zong mee en Bobby bewoog zijn hoofd op de maat. Hij vond het fantastisch om Johnny bij zich te hebben. Die bracht altijd leven in de brouwerij, verspreidde altijd vrolijkheid. Toen Johnny net zo oud als Bobby was, had hij het geweldig leuk gevonden om kattenkwaad uit te halen. En hij was nog niet veranderd. Het was duidelijk te zien dat hij het fijn vond om thuis te zijn en Bobby en zijn moeder te bezoeken. Zo fijn zelfs dat hij, toen ze weer thuis waren, Bobby meenam naar de achtertuin om te basketballen. Ze waren daar nog toen Charlotte thuiskwam. Ze zag er terneergeslagen uit, omdat ze niets had gebakken van haar proefwerk Frans. Maar ze moest glimlachen toen ze Bobby dappere pogingen zag doen om de bal door de basket te gooien. Haar oudste broer, die maar een paar centimeter van hem vandaan stond, kon ze niet zien.
'Kijk, ik zal je laten zien hoe je het doen moet,' zei ze, en ze nam de bal van hem over. Ze dribbelde een paar passen met de bal, liet hem al bij haar eerste poging keurig in de basket verdwijnen en legde haar broertje uit hoe ze het had gedaan.
'Moet je zien, wat is ze toch geweldig!' zei Johnny vol bewondering, en Bobby draaide zich om en keek naar hem, met een grijns op zijn gezicht. Charlotte volgde zijn blik.
'Waarom kijk je achter me?' vroeg Charlotte hem. 'Je moet naar de basket blijven kijken. Kijk naar waar

je de bal heen wilt gooien, niet over mijn schouder.'
'Ze heeft gelijk,' wees Johnny hem terecht. 'Kijk niet naar mij en doe wat ze je zegt. Ze is hier beter in dan ik.' Alice sloeg hen gade vanachter het raam. Ze glimlachte toen ze haar kinderen daar bij elkaar zag staan onder de basket. Ze besefte dat het misschien de laatste keer was dat ze dat zou zien. Die wetenschap maakte haar verdrietig, maar voor het moment was ze dankbaar dat ze hen daar zo zag. Toen Jim een halfuur later binnenkwam, had ze nog een warm gevoel vanbinnen. Hij zei dat hij haar iets belangrijks te vertellen had.
'We hebben er vandaag twee nieuwe klanten bij gekregen,' zei hij met een blik van verbazing. 'Het zijn allebei startende ondernemers. We gaan ze helpen om hun bedrijf op poten te zetten. Dat zal veel werk opleveren. Dit zou weleens echt een klapper kunnen zijn voor ons.'
'Echt waar?' zei ze blij, en plotseling drong het tot haar door wat Johnny de hele dag had uitgespookt. Een potentiële huwelijkskandidaat voor Pam, Charlotte die Bobby onder haar hoede leek te hebben genomen, twee nieuwe klanten voor Jim. En de vorige avond een afspraakje voor Becky. Niet slecht voor een kersverse, zeventienjarige engel.
Voor Johnny die avond na het eten naar Bobby's kamer ging, complimenteerde ze hem met al het werk dat hij had verricht. Hij zei dat hij maar kort zou blijven, want hij wilde bij Becky langs.
'Ik hoop dat Buzz beter rijdt dan ik,' zei hij.
Zijn moeder keek hem vol afgrijzen aan. 'Bah, hoe kun je zoiets akeligs zeggen?' berispte ze hem. Hij lachte en boog zich voorover om haar een zoen te geven voor hij die avond op pad ging. Na zijn vertrek bleef ze een paar

ogenblikken in de keuken staan en dacht aan hem. Ze hoopte maar dat hij zijn klussen niet te snel zou afmaken. Van haar hoefde hij niet zo nodig weg, en ook hij had nu geen haast meer.

7

Becky's eerste uitje met Buzz Watson verliep goed, ondanks het feit dat ze het grootste deel van de avond over Johnny praatte. Hij nam haar mee naar de film en nodigde haar uit om een hamburger met hem te eten bij Joe's Diner. De nacht dat Johnny stierf, waren ze op weg daarnaar toe geweest. Het was *de* plaats geweest waar iedereen op hun school elkaar trof. Ze vertelde hem over de jaren dat zij en Johnny samen optrokken, jaren die hun hele middelbareschoolperiode besloegen. Johnny zat een poosje naast haar naar hen te luisteren en glimlachte om de herinneringen die ze ophaalde. Door datgene wat ze zei en de manier waarop ze het zei leek de tijd die ze samen hadden doorgebracht nog volmaakter. Ze keek hem een paar keer recht aan, maar kon hem niet zien. En enigszins knarsetandend moest hij zichzelf bekennen dat Buzz een aardige vent was. Toen ze op school zaten, had hij hem een nogal verwaande kwast gevonden. Hij was een van de weinige rijkeluiskinderen op hun school geweest; zijn vader was eigenaar van een succesvolle slijterijketen, met winkels door heel Californië; zijn familie reisde iedere zomer naar Europa en hij had altijd in mooie auto's gereden. Buzz luisterde geduldig naar Becky. Hij zei dat hij Johnny altijd een prima jongen had gevonden, hoewel hij hem niet goed had gekend. Hij probeerde niet van onderwerp te veranderen of de stroom herinneringen te stoppen die als een waterval uit haar mond kwam. En

die paar keer dat haar ogen zich met tranen vulden, pakte Buzz teder haar hand.
Hij werd op de terugweg niet vrijpostig. En hij vertelde haar over de universiteit. Hij zei dat hij het volgend semester terug zou gaan. Zijn vader was die zomer ziek geweest en had hem verzocht thuis te komen om hem te helpen met zijn winkels. Hij was de oudste zoon en had vanaf zijn veertiende tijdens feestdagen en vakanties voor zijn vader gewerkt – iedere zomer twee maanden. Zo te horen was hij goed ingevoerd in het bedrijf. Hij praatte kort met haar over kwaliteitswijnen en legde haar uit waar je daarbij op moest letten. Iedere zomer gingen ze een maand naar Frankrijk, zodat zijn vader de wijngaarden kon bezoeken. Tijdens die reizen had hij een heleboel van zijn vader geleerd, meer dan de andere kinderen die, tot nu toe tenminste, niet in de winkels van hun vader geïnteresseerd waren.
Buzz was duidelijk zeer gecharmeerd van Becky. Ze was nog net zo aantrekkelijk als in zijn herinnering. Hij zei dat hij er één keer over had gedacht om haar uit te nodigen voor het schoolbal, maar dat hij wist dat dat niet ging vanwege Johnny. Hij plaagde haar ermee en zei dat ze in die tijd niet eens van zijn bestaan had geweten, wat haar een glimlach ontlokte.
'Ja, dat wist ik wel. Het is gewoon niet bij me opgekomen dat je me leuk vond.' Ze had ooit eens Franse les met hem gevolgd, maar zijn vrienden waren twee jaar ouder dan zij, en ze was behoorlijk verlegen geweest.
'Ik was bang dat Johnny me zou vermoorden als ik je mee uit zou vragen,' zei hij lachend. 'Bovendien, waarom zou je keus op mij vallen? Hij was een football-vedette.' Maar op dit ogenblik was er veel dat ze in Buzz waardeerde. Hij was gevoelig, intelligent, en knap. Hij

had veel meer levenservaring en was veel volwassener dan Johnny was geweest. Hij was bijna eenentwintig, en voor Becky was hij eerder een man dan een jongen. 'Ik heb een leuke avond gehad, Becky,' zei hij vriendelijk. 'Ik weet dat het niet gemakkelijk voor je moet zijn om na al die tijd met een ander uit te gaan.' Johnny was de enige jongen met wie ze ooit was uitgegaan, de enige die ze ooit had liefgehad, maar dat veranderde niets aan het feit dat hij er niet meer was, en er kwam een moment in haar leven dat ze verder moest. Ze zei dat ze niet dacht dat ze al aan een relatie toe was, maar dat ze zich vanavond geen moment had verveeld. Het was erg leuk geweest om met hem te praten, en om hem over zijn studie, zijn vrienden, de zaak van zijn vader en over zijn tijd in Frankrijk te horen vertellen. Hij hield ook van kinderen, en net als zij had hij een stel broers en zussen. Hij was de oudste van zes en zij van vijf. Hoewel hun financiële positie verschilde, hadden ze een hoop dingen gemeen. Hij vroeg of ze het leuk vond om zaterdagavond nog een keer met hem uit eten te gaan.
'Dat lijkt me hartstikke leuk, Buzz,' zei ze spontaan, terwijl hij het portier voor haar openhield. Hij reed in de Mercedes die zijn vader twee jaar geleden voor hem had gekocht toen hij in Los Angeles ging studeren. Buzz had haar die avond verteld dat hij economie als hoofdvak had en erover dacht om als hij zijn bachelordiploma had verder te studeren voor een masterstitel bedrijfskunde. Zij had gezegd dat ze in het voorjaar opnieuw een poging zou doen om een beurs te krijgen, en dat ze hoopte dat ze in het najaar aan haar studie kon beginnen. Maar ze vond het prettig om in de tussentijd in de drogisterij te werken en haar moeder te

helpen met de andere kinderen. Meer hoefde ze op dit moment niet.
Hij stelde voor om zaterdagavond naar een Frans restaurant te gaan. Het was een restaurant waar ze wel van gehoord had, maar waar ze nooit was geweest. Naast zijn kennis van goede wijn had hij een zwak voor de Franse keuken.
Hij liep met haar mee naar haar voordeur. 'En, lijkt het je wat?' vroeg hij. 'Of ga je liever naar een drive-inrestaurant en een film? Het leek me wel leuk om eens iets anders te doen.' Zo te horen kon hij van beide genieten. Johnny leunde tegen een boom en luisterde toe hoe Buzz haar mee uit vroeg, en hij wenste dat hij hem daarvoor zou kunnen haten. Maar op de een of andere manier slaagde hij daar niet in. Hij was blij voor Becky, blij dat Buzz haar een beetje wilde verwennen. Hij kon zichzelf niet eens voorhouden dat Buzz een verwaande kwast was, want dat was hij niet. En het was duidelijk dat hij Becky heel erg graag mocht. Bij de voordeur draaide ze zich om en keek Buzz ernstig aan.
'Sorry dat ik zoveel over Johnny heb gepraat,' zei ze zacht. 'Ik mis hem gewoon ontzettend. Alles is zo anders zonder hem.'
'Het geeft niet,' zei hij teder. 'Dat mag, Becky. Ik begrijp het wel.'
Ze knikte. Hij hield de voordeur voor haar open en ze gingen naar binnen. Een ogenblik later kwam hij alleen naar buiten en reed weg. Johnny keek toe hoe de Mercedes uit het zicht verdween, draaide zich toen om en ging naar huis.
Toen hij thuiskwam, lag zijn moeder in bed te lezen. Ze sloeg haar ogen naar hem op en glimlachte. 'Waar ben jij de hele avond geweest?' Toen hij nog leefde had

ze hem dezelfde vraag gesteld elke keer wanneer hij 's avonds thuiskwam.
'Uit met Becky.' Terwijl hij het zei, keek hij bedroefd, meer als een jongen dan als een man.
'Zei je niet dat ze vanavond een afspraakje had?' Ze leek verbaasd, en ze kon zien dat hij verdrietig was.
'Ja. Met Buzz Watson. Het is best een aardige vent.'
'Heb je hen gewoon de hele avond gevolgd?' vroeg ze. Ze maakte een bezorgde indruk. Het leek haar geen geweldig idee, of iets waar hij blij mee moest zijn, zelfs nu niet.
'Nee. Ik heb alleen maar met hen gegeten, en toen heb ik andere dingen gedaan. En ik stond bij het huis te wachten toen hij haar afzette.'
Alice klopte op het bed naast haar. 'Kom eens bij me,' zei ze, en hij ging zitten. 'Waarom heb je dat gedaan?' Ze was bezorgd voor haar zoon en voor de blik in zijn ogen.
'Ik wilde er gewoon zeker van zijn dat hij aardig tegen haar is.'
'En is hij dat?'
'Ja zeker. Hij liet haar de hele maaltijd over mij praten. Zaterdagavond neemt hij haar mee naar Chez Jacques.'
'Zou het niet beter zijn als je je eens een poosje niet met hen bemoeide? Echt leuk zal het niet voor je zijn om haar te zien uitgaan met een ander vriendje. Waarom blijf je niet bij mij en Bobby op de avonden dat ze een afspraakje heeft?'
'Het leek me gewoon beter om in het begin een oogje in het zeil te houden.' Toen glimlachte hij naar haar. 'Eigenlijk nogal stom van me, hè? Ik heb haar aan hem gekoppeld, maar of ik dat nou zo leuk vind... Dit is moeilijk, mam.'

'En Pam, hoe is dat afgelopen?' vroeg Alice om hem af te leiden.
Johnny glimlachte naar haar. 'Vrijdagavond gaat ze met Gavin uit, die man uit Los Angeles. Hij is gek op haar.'
'Mooi zo. Ze heeft iemand nodig om haar leven mee te delen. Ze heeft niet één afspraakje meer gehad sinds Mike dood is.' Johnny knikte en leek in gedachten verzonken. Hij had veel om over na te denken en een hoop dingen die hij moest doen. Maar het avondje uit van Becky en Buzz waarvan hij getuige was geweest, had hem niet onberoerd gelaten. Toen zuchtte hij en keek naar zijn moeder. Hij leek weer meer zichzelf.
'Met mij is het goed, mam. Alles gaat zoals het moet. Ik ga nog even bij Charlotte kijken voor ik ga pitten. Hoe ging het vanavond met papa?'
'Die lag weer te slapen voor de tv.' Ze schokschouderde. Zo ging het al een hele tijd in hun huis. Iedere avond hetzelfde liedje. Maar sinds kort leek het in ieder geval wat beter met hem te gaan. Alice was gelukkiger dan ze in maanden was geweest. Johnny was thuis.
De eerstvolgende weken zagen Buzz en Becky elkaar behoorlijk vaak. Hij ging met haar naar goede, gezellige restaurants, speelde spelletjes met haar en haar broertjes en zusjes, nam haar broertjes mee naar een footballwedstrijd en kocht een paar flessen lekkere wijn voor haar moeder. Die kon ze dan opdrinken met Gavin, haar nieuwe vriend. Buzz werd geleidelijk aan een regelmatige bezoeker van huize Adams. Tot nu toe was er niet meer gebeurd dan dat Becky Buzz' hand had vastgehouden. Hij was heel voorzichtig met haar, hij wilde niets forceren. Zij praatte wat minder over Johnny dan ze in het begin had gedaan. Allebei vonden ze de man die iedere week uit Los Angeles kwam om het

weekend bij haar moeder door te brengen erg aardig. Het was iedereen duidelijk dat hij haar erg graag mocht en dat hij gek was op de kinderen.
Ze gingen zelfs een keer met z'n vieren uit eten: Gavin, Pam, Buzz en Becky. Ze bezochten een klein Italiaans restaurant, en Buzz stelde voor om een Nappa Valley te nemen, een vrij onbekende, maar fantastische wijn. De vier hadden een gezellige avond. Johnny was in een goede stemming toen hij 's avonds thuiskwam en beschreef de avond in geuren en kleuren aan zijn moeder.
'Ik vind nog steeds dat je op de avonden dat ze uitgaan vrijaf moet nemen,' berispte ze hem, waarna ze hem vroeg of hij ook 'snoep of ik schiet' met Bobby ging doen. Ze had haar gedachten al laten gaan over een Halloween-pak voor hem. Charlotte had al laten weten dat ze te oud was voor dat soort spelletjes en thuis zou blijven om met wat vrienden snoepgoed uit te delen aan de deur. Alice was van plan om met Bobby een tochtje door de buurt te maken. En ze kon maar niet kiezen of ze hem zou verkleden als Superman, Batman, of dat ze hem een alleraardigst Ninja-pakje zou aantrekken, dat ze net had gezien.
'Ik ga wel met hem mee,' bood Johnny spontaan aan.
'Dat zou hartstikke leuk zijn. Kijk of je erachter kunt komen wat hij aan wil.' Vorig jaar had ze hem verkleed als Powerranger.
Toen ze een paar dagen later langs de deur van Bobby's kamer kwam, liep ze er nog steeds over te piekeren. Hij was net thuisgekomen van school. Het was een gure dag, en ze was naar boven gegaan om een trui te halen. Ze wist dat Charlotte in haar kamer aan haar huiswerk zat, maar ze hoorde stemmen uit de kamer van Bobby komen. Ze nam aan dat het geluid van een

van zijn cassettebandjes met verhaaltjes kwam. Ze kon twee stemmen in de kamer horen: de stem van het bandje en Johnny's stem. Terwijl ze naar haar eigen kamer liep, hoorde ze plotseling lachen. Ze bleef staan, draaide zich om, liep langzaam naar Bobby's kamer en luisterde. Eerst kon ze alleen maar Johnny's stem onderscheiden, die tegen hem praatte. Het bandje hoorde ze niet meer. Toen hoorde ze heel duidelijk een tweede stem iets zeggen. Ze bedacht zich niet, draaide de deurknop om en deed de deur open. Beide jongens zaten op de vloer temidden van Bobby's speelgoed en keken op, verrast en van hun apropos.

Ze ging de kamer binnen en deed de deur achter zich dicht, zodat niemand hen zou horen. 'Wat voeren jullie in je schild? Hebben we lol of maken we er een bende van?' Ze keek haar beide zonen onderzoekend aan. Ze voelde dat de twee een geheim deelden. Haar hart trilde, en Johnny glimlachte op een eigenaardige manier naar haar. 'Is er hier soms iets grappigs aan de hand?' Ze keek van de een naar de ander, en Johnny keek veelbetekenend naar zijn broertje en fluisterde iets tegen hem.

Bobby sloeg zijn ogen langzaam naar haar op en ze had het gevoel alsof een pijl haar doorboorde. Haar adem stokte. Ze stak haar hand naar hem uit en ging toen naast hem zitten. Ze wist niet waarom, maar ze wilde dichter bij hem zijn. Met beide handen beroerde ze Bobby's gezicht en haar ogen vulden zich met tranen om redenen die ze niet kon peilen. Het was alsof ze iets in hem kon voelen, iets dat bevrijd wilde worden.

'Is alles goed met je?' vroeg ze ademloos, en het kleine joch knikte. Johnny hield zijn ogen geen moment van Bobby af.

'Ga door,' zei Johnny, en Bobby's ogen gingen van zijn broer naar zijn moeder.
'Hoi, mama,' fluisterde hij, en een snik maakte zich uit haar los. Ze trok hem met zo'n kracht naar zich toe dat ze allebei naar adem snakten. Vervolgens maakte ze zich langzaam van hem los en keek lachend en huilend op hem neer, terwijl ze haar hand naar Johnny uitstak en hem naar hen beiden toe trok.
'Hallo, Bobby.' Meer wist ze even niet te zeggen... 'Ik hou heel veel van je... Hoe lang kun je al praten?'
'Sinds Johnny er is. Hij zei dat het moest; zonder praten zou ik niet goed met hem kunnen spelen.' Johnny glimlachte naar hen. Ondertussen probeerde Alice de tranen van haar wangen te vegen, maar ze bleven komen.
'Praat je nu weer met ons allemaal?' Onwillekeurig vroeg ze zich af hoe lang hij al kon praten en wat het voor zijn vader zou betekenen. Maar als antwoord op haar vraag schudde Bobby zijn hoofd en keek naar Johnny.
'Misschien binnenkort,' zei Johnny kalm. 'We moeten het stapje voor stapje doen. Bobby wil eerst met jou praten, zodat hij eraan kan wennen. Maar hij doet het echt goed,' zei hij, en hij streek met zijn hand door Bobby's haar. 'Het woord dat hij vanmorgen zei mocht er wezen.' Bobby giechelde bij de gedachte aan het woord dat hij tegen zijn oudere broer had durven zeggen. Het was een woord waarvan hij wist dat hij het niet mocht gebruiken, zelfs niet als hij weer begon te praten, hoe dankbaar ze ook waren zijn stem te horen.
'Kunnen we het papa niet vertellen?' Het leek Alice vreselijk om het niet met hem te kunnen delen. Ze wist dat het een wereld van verschil voor hem zou maken.

‘Nog niet,’ antwoordde Johnny in Bobby’s plaats. ‘Maar wel gauw. Hand erop.’ Ze wilde op geen van beiden druk uitoefenen, maar ze vond het jammer dat ze Jim niet kon vertellen wat er was gebeurd. Maar ergens voelde ze dat het het beste was om Johnny’s wens te respecteren.

Lange tijd zaten ze bij elkaar op de vloer en praatten zachtjes, zodat niemand hen kon horen. Na een poosje klopte Charlotte op de deur en stak haar hoofd om de hoek.

‘Mam, je koekjes stonden te verbranden,’ zei ze zakelijk. Ze kon noch haar oudste broer, noch de vreugde op het gezicht van haar moeder zien. Het enige dat ze zag was Bobby temidden van zijn speelgoed en haar moeder die naast hem op de grond zat en tegen hem praatte. ‘Ik heb ze uit de oven gehaald,’ zei ze, en ze deed de deur weer dicht. Alice stond op. Voor ze wegging gaf ze haar beide zonen een zoen. Ze liep naar beneden met een tred zo licht als ze in jaren niet had gehad, en het enige waar ze aan kon denken, was hoe Jim zich zou voelen zodra hij wist dat Bobby praatte.

Tijdens de avondmaaltijd dwaalde haar blik veelvuldig af naar Bobby, en hij glimlachte als hij naar haar keek. Ze deelden samen een reusachtig geheim. Twee geheimen. Het eerste geheim was dat hij weer kon praten, en het tweede was dat Johnny weer bij hen teruggekomen was. Het vormde een band tussen Alice en haar jongste kind die hechter was dan ooit, en na het avondeten bleef hij nog een hele tijd bij haar in de keuken. Hij zei niets tegen haar, maar terwijl hij haar hielp met opruimen, voelde ze hoe zijn hart onverbrekelijk met het hare verbonden was. Toen ze klaar waren, bleef ze staan en trok hem naar zich toe. ‘Ik hou van je, Bobby,' fluisterde ze. Zijn armen omklemden haar middel, en toen ze hem losliet, glimlachte hij naar haar en ging rustig met Johnny naar boven.

8

Thanksgiving was dat jaar een pijnlijke dag voor het gezin, vooral voor Jim en Charlotte. Alice had met allebei te doen. Ze had graag gewild dat ze Johnny's aanwezigheid met hen had kunnen delen. Een deel van zijn tijd was Johnny bij haar of bij Bobby. Smakkend met zijn lippen keek hij verlekkerd naar de kalkoen die ze in de keuken aan het voorsnijden was. Jim had op dat ogenblik al zoveel drank op dat ze noch het beest, noch het mes aan hem toevertrouwde. Ze wilde niet dat hij het gevogelte zou verpesten of zichzelf zou verwonden.
'Jee, dat ruikt fantastisch, mam. Hij is nog groter dan vorig jaar,' zei Johnny vol bewondering.
Ze worstelde met een van de poten en likte daarna haar vingers af. 'Ik kon geen kleinere vinden,' zei ze hardop tegen hem, terwijl Johnny zijn neus boven de jus hield. 'Pas op dat je geen jus morst.'
'Morsen? Wat morsen?' vroeg Charlotte, die net de keuken binnenliep om haar te helpen. Op haar gezicht stond verbazing te lezen.
'De jus. Ik had het niet tegen jou. Ik praatte tegen...' Ze was afgeleid en vergat dat Charlotte Johnny, die naast haar stond, niet kon zien.
'Met wie was je aan het praten, mam?' vroeg Charlotte met een bezorgd gezicht.
'Met niemand, schat. Ik was alleen maar hardop aan het denken.' Charlotte zag er bedrukt uit toen ze de keuken verliet met een schaal zoete aardappelen overdekt met

marshmallows. Haar moeder was duidelijk buiten zinnen van verdriet, haar vader was halverwege de middag al dronken en Johnny was dood. Terwijl ze terugliep naar de keuken om de cranberrygelei te halen, wenste ze dat er helemaal niets te vieren viel. Haar moeder stond met haar rug naar haar toe toen ze de keuken binnenkwam. 'Blijf daarvan af!' had ze zojuist gezegd, dat was duidelijk te horen geweest. Volgens Charlotte was ze beslist niet normaal. 'Als je weer ergens aanzit, vermoord ik je!' zei Alice, en ze klonk opgewekt.
'Ik dacht dat je wilde dat alles op tafel werd gezet,' zei Charlotte. Haar moeder draaide zich om, keek haar aan en bloosde.
'Ach sorry, dat is ook zo... Ik word een beetje daas van al dat kokkerellen.'
'Mam, je moet ermee ophouden zo in jezelf te praten,' zei Charlotte. Ze maakte een nerveuze indruk. Het ging al twee maanden zo. Charlotte wist waardoor het kwam: het kwam natuurlijk door de dood van Johnny, maar om nou te zeggen dat het normaal of gezond was – nee. Zelfs haar vader had het opgemerkt, maar hij zei er nooit iets over tegen Alice. Hij had Charlotte verteld dat ze tegenwoordig zo vaak in zichzelf praatte wanneer ze alleen in haar slaapkamer was. Hij was er verscheidene keren binnengelopen op het moment dat ze druk met zichzelf in gesprek was. 'Mam, is alles goed met je?' vroeg Charlotte haar, terwijl ze balanceerde met de cranberrygelei in haar ene en de snijbonen in haar andere hand.
'Met mij gaat het goed, schat. Echt waar. Zo meteen kom ik met de kalkoen.'
'Zeg, we gaan zo eten, als jij nu jezelf even kunt vermaken,' zei ze fluisterend tegen Johnny, voor ze de keu-

ken verliet en zich met de kalkoen naar de andere kamer haastte.
'Ik hoor er toch ook bij op Thanksgiving, mam?' Hij leek beledigd.
'Als jij er bent, gedraagt Bobby zich anders... en het zal mij er nog toe brengen dat ik iets zeg wat ik niet had mogen zeggen,' fluisterde ze.
'Ik zal me gedragen. Erewoord,' zei hij plechtig, en hij liep achter haar aan, terwijl ze de voorgesneden kalkoen en de vulling droeg. Thanksgiving was naast Kerstmis altijd zijn favoriete feestdag geweest.
Alice schepte iedereen op. Jim porde met een wazige blik in zijn eten. Charlotte zei niets, en Bobby glimlachte toen hij even opkeek en Johnny zag. Maar Johnny legde een vinger op zijn lippen om hem te waarschuwen dat hij niet naar hem moest kijken, wat Alice aan het giechelen maakte.
'Wat v-valt er te lachen?' vroeg Jim met dubbele tong.
Alice keek hem verdrietig aan. Het was pijnlijk om hem zo te zien, niet alleen voor haar, maar ook voor de kinderen. Bobby wierp teleurgesteld een blik op hem en schudde zijn hoofd.
'Weet jij waarom papa zich vandaag een stuk in zijn kraag moest drinken?' vroeg Johnny haar toen ze terug was in de keuken om nog wat kalkoen voor hen af te snijden.
'Wat denk je?' zei ze met een zucht. Ze schepte nog wat vulling op de schotel. 'Omdat we jou allemaal missen, natuurlijk. En vanwege al die verdrietige dingen. Het is jammer dat hij jou niet kan zien. Volgens mij zou dat hem heel erg helpen. Waarom zouden ze jou niet aan hem laten zien, zoals aan mij en Bobby? Wat is daarvan de reden, volgens jou?'

'Omdat hij het niet zou begrijpen, mama,' zei Johnny zonder aarzelen.
'Misschien begrijp ik het ook wel niet. Maar wat ik wel weet is dat ik het fantastisch vind,' zei ze, en ze bleef staan om hem een kus te geven. Daarna liep ze terug naar de andere kamer om Jim en de kinderen nog eens op te scheppen.
'Was je weer in jezelf aan het praten?' vroeg Jim haar met bezorgde blik. Zelfs met een slok op kon hij het horen.
'Het spijt me,' zei ze. Charlotte keek naar haar op met een ongelukkige blik in haar ogen. Ze vond het afschuwelijk wanneer haar vader dronken werd. En nu gedroeg haar moeder zich ook nog als een malloot. Thanksgiving zonder Johnny was een kwelling. Alice vond het niet eerlijk dat Charlotte hem niet ook kon zien. Maar misschien zou zij het ook niet hebben begrepen. Wat ook de reden was, ze kon hem niet zien. Tijdens het eten had hij een tijdje pal naast haar gestaan, zo dichtbij dat ze er toch iets van had moeten merken, maar dat was niet het geval geweest.
'Pam zei dat ze langs zouden komen als ze hun kalkoen op hadden,' zei Alice.
'Moet dat echt?' Zo te horen was Jim er niet mee ingenomen. Hij wilde gewoon zijn eten opeten, om daarna voor de tv te zitten, bier te drinken en American football te kijken.
'Het zijn onze vrienden, Jim,' zei Alice afkeurend.
'En wat dan nog? Johnny is dood en Becky is zijn vriendin niet meer.' Alice zei niets en ze vervolgden hun maaltijd. Een poosje later hielp Charlotte haar met het afruimen van de tafel. Het was een opluchting om van tafel te gaan en naar de keuken te verhuizen.

Charlotte zette de borden op het aanrecht neer. 'Ik haat hem,' zei ze. Bobby kwam binnen met zijn bord en zijn moeder pakte het van hem aan. Jim was al van tafel gegaan, zonder te wachten op de pompoentaart en de slagroom die ze gemaakt had om erbovenop te doen.
'Hij kan er niets aan doen, Charlotte, dat weet je toch?' zei haar moeder vriendelijk.
'Ja, dat kan hij wél. Hij hoeft niet almaar dronken te worden. Het is walgelijk.' Charlotte maakte een diepbedroefde indruk en het deed Alice pijn haar zo te zien.
'Hij mist Johnny,' zei Alice, maar ze wist heel goed dat hij zich ook schuldig voelde over Bobby. Dat was al zo vanaf het moment dat de jongen niet meer sprak.
'Ik mis hem ook,' beaamde Charlotte. 'En dat geldt ook voor jou. Maar jij drinkt niet tot je door je benen zakt,' zei ze met een grimmige uitdrukking op haar gezicht. 'Het enige dat jij doet is in jezelf praten. Dat is tamelijk maf, maar het is in ieder geval niet zo weerzinwekkend als wat hij doet.'
'Wil je zulke dingen niet over je vader zeggen!' zei Alice resoluut.
'Waarom niet? Het is waar. Papa is een dronkaard, Johnny is dood en Bobby zal nooit meer praten.' Haar ogen vulden zich met tranen toen ze de ellende opsomde die hen allen getroffen had. Maar slechts een paar van die dingen waren waar. Bobby was immers weer begonnen met praten en Johnny was terug, voor een poosje tenminste. Bovendien praatte ze met hem en niet in zichzelf.
'Misschien dat papa binnenkort ophoudt met drinken,' zei Alice met een zucht. Ze sneed punten uit de pompoentaart, hoewel niemand trek had. 'Dat gebeurt soms, weet je.'

'Ja, dat zal wel,' zei ze sceptisch, terwijl ze haar vinger door de slagroom haalde. 'Eerst zien, dan geloven.'
'Het gaat de laatste tijd wat beter met hem,' zei Alice hoopvol, maar Charlotte wekte niet de indruk dat ze het met haar eens was.
'Vandaag niet. Hij had in ieder geval met Thanksgiving nuchter kunnen blijven.'
Alle drie peuzelden ze van hun pompoentaart, en Johnny zat tussen Charlotte en Bobby in, op de lege stoel van zijn vader. Alice was net de tafel aan het afruimen toen er werd gebeld. Becky, haar moeder en haar broertjes en zusjes stonden op de stoep. Ze kwamen met veel lawaai binnen, en Johnny keek vanaf zijn stoel naar Becky. Ze zag er prachtig uit in haar jurk van donkerblauw fluweel, en haar glanzende goudblonde haar hing over haar schouders, precies op de manier die hem altijd in verrukking had gebracht. Alice voelde een steek van verdriet toen ze hem zo naar Becky zag kijken.
'Iedereen een gelukkige Thanksgiving!' zei Pam, en ze gaf Alice een appeltaart die zij en Becky die morgen hadden gemaakt. 'Hoe was de maaltijd?'
'O, gezellig,' zei Alice kalm. Charlotte nam Becky en de meisjes mee naar haar kamer, en Johnny volgde stilletjes. Alice stelde toen voor dat Bobby de jongens mee zou nemen naar zijn kamer. Pam volgde Alice naar de keuken. Ze had meteen gezien dat het een moeizame Thanksgiving voor hen was geweest. Zelf herinnerde ze zich maar al te goed hoe moeilijk die dag voor hún gezin was geweest het eerste jaar na Mikes dood. Voor iedereen waren alle feestdagen een kwelling geweest, en het was duidelijk dat deze dag geen uitzondering vormde. Bij hen thuis had Becky het hele diner door huil-

buien gehad en ze raakte er niet over uitgepraat hoezeer ze Johnny miste.
'Waar is Jim?' vroeg Pam, en Alice maakte een hoofdbeweging naar de zitkamer. Ze konden de tv horen galmen.
'Hij kijkt naar football. Hij zit niet lekker in zijn vel. Niemand van ons, vermoed ik.' Ook al konden Bobby en zij Johnny zien, toch was het pijnlijk om te weten hoe erg de anderen zijn aanwezigheid misten.
'De feestdagen zijn altijd moeilijke dagen het eerste jaar. Kerstmis wordt nog erger. Zet je alvast maar schrap.' Alice antwoordde met een knik en ging verder met de vaat.
'En bij jou, hoe staat het ermee?' vroeg Alice. Ze had een pot koffie opgezet en Pam schonk voor hen beiden een kop in toen de koffie klaar was.
'Interessante ontwikkelingen,' bekende ze met een verlegen grijns. 'Ik weet niet precies wat er aan de hand is of welke betekenis ik eraan moet toekennen, maar ik geloof dat ik het leuk vind. Ik zie Gavin nog steeds en ik vind hem echt heel aardig.'
Toen alle vaat ten slotte in de afwasmachine stond, ging Alice bij haar aan de keukentafel zitten. 'Ik ben blij voor je,' zei ze. Voor hen allebei was het prettig dat ze iemand hadden om mee te praten.
'Hij gaat fantastisch met de kinderen om en hij is lief voor me. Ik was al zo lang nergens meer geweest en had al zo lang niets meer ondernomen. Hij neemt me elke zaterdag mee uit eten. Het heeft waarschijnlijk niets te betekenen, maar hij is aangenaam gezelschap, en het is prettig om een reden te hebben om me mooi aan te kleden en mijn haar te laten doen. Het is heel plezierig om voor de verandering eens geen moeder te hoeven zijn,

of chauffeur. Hij speelt zelfs iedere zondagmorgen honkbal met de jongens.' Pams woorden hadden tot gevolg dat Alice zich afvroeg of hij bij haar bleef slapen. Pam moest lachen toen ze de uitdrukking op het gezicht van haar vriendin zag. 'Hij logeert hier bij een vriend van hem.' Ze schoten allebei in de lach. Ze zaten een hele tijd te kletsen aan de keukentafel, en ten slotte gingen ze naar boven om te kijken hoe het met hun kinderen ging.

Pams dochters zaten op Charlottes bed en op de grond. Het gesprek ging over jongens en over school, en Becky zei iets over Buzz tegen Charlotte. Terwijl ze babbelden, zat Johnny aan Charlottes bureau glimlachend toe te kijken. Hij kon zijn ogen niet van Becky af houden. En vanuit de deuropening glimlachte Alice naar hem. Toen hij nog leefde, zou ze hem voor geen goud naar zo'n dameskransje hebben gekregen. Maar nu was het anders en vond hij het heerlijk om dicht bij Becky te zijn. Het was alsof hij haar in zich op wilde zuigen en al genoot als hij naar haar kon kijken. Het was of hij nog wat laatste beelden in zijn geheugen op sloeg die hij mee kon nemen als herinnering.

Pam en Alice gingen naar Bobby's kamer. Mark en Peter gooiden elkaar door de kamer een honkbal toe. Alice zei dat ze beter naar buiten konden gaan om daar te honkballen en te basketballen, en toen ze opstonden, volgde Bobby hen zwijgend. Hij vond het leuk om bij hen te zijn. Daarna gingen de twee vrouwen weer naar beneden. Ze liepen langs Jim, die voor de tv luid snurkend lag te slapen. Vier lege bierblikjes lagen naast hem. Green Bay had net zes punten gescoord met een touchdown.

Ze trokken zich terug in de keuken. 'Hoe gaat het met

hem?' fluisterde Pam. Alice keek uit het raam naar haar kinderen. Ze zag dat Johnny deze keer bij hen was. Bobby stond rustig naast hem, terwijl Pams jongens de bal in de basket probeerden te gooien.
'Niet zo best, geloof ik,' zei Alice. 'Een poosje leek het beter te gaan met Jim, maar de laatste paar dagen waren een ramp.'
'Het zijn de feestdagen,' zei Pam, 'dat weet ik uit ervaring. Tot en met de kerstdagen zal het wel zo blijven. Jullie zullen er allemaal last van hebben.' Alice knikte, en vervolgens praatten ze een uur lang over het schoonheidsinstituut en over Gavin. Ten slotte stond Pam op en zei dat ze haar troepen ging verzamelen om naar huis te gaan, maar het duurde nog een halfuur voor het zover was. Toen ze vertrokken stond Johnny hen in de deuropening na te kijken. Daarna ging hij met zijn moeder praten in de keuken.
'Ze zag er mooi uit, vond je ook niet, mam?' Hij had het over Becky, en zijn moeder knikte. 'Ze zegt dat ze echt om Buzz geeft. Ik ben blij voor haar.' Hij meende het oprecht, maar het was niet gemakkelijk voor hem. Becky los te laten was een van de moeilijkste dingen die hij nu moest doen, maar hij wist dat ze een eigen leven moest opbouwen, een leven zonder hem. Hij had haar niets te bieden. In tegenstelling tot Bobby en zijn moeder kon ze hem niet eens zien. Behalve via zijn hart had hij geen mogelijkheid om Becky te bereiken. Het enige dat hij kon doen was haar een mooie en gelukkige toekomst wensen.
'Ik weet dat ze je mist,' zei Alice vriendelijk. 'Voor haar is het net zo moeilijk als voor jou.' Ze wilde zeggen dat ze er allebei na verloop van tijd overheen zouden komen, maar op de een of andere manier leek het onjuist

om dat te zeggen. 'Ik moet nu papa maar wakker gaan maken,' zei ze toen zuchtend.
Johnny knikte. 'Ik ga wel even bij Bobby kijken,' bood hij aan. Toen draaide hij zich om, omdat hem iets te binnen schoot. 'Ga je naar de wedstrijd die Charlotte morgen speelt?' Ze speelde basketbal in een schoolteam en het was een belangrijke wedstrijd.
'Ik dacht dat we daar met z'n allen heen zouden gaan,' zei Alice, die de lampen in de keuken uitdeed.
'Papa ook?' zei Johnny met een glimlach. Hij was blij het te horen.
'Nee, hij kan niet. Hij moet werken,' zei ze vlak.
'Hij hoeft de dag na Thanksgiving niet te werken, mama. Hij kan meegaan als hij wil.' Maar hij ging nooit naar een wedstrijd van Charlotte. Dat had hij nooit gedaan. Het ontbrak hem aan interesse. Volgens hem kon een meisje geen topsporter zijn. Maar bij haar zat hij er volkomen naast. Charlotte wás een ster. Een nog grotere ster dan hij, Johnny, was geweest.
'Ik zal het hem vragen,' beloofde Alice, meer om Johnny tevreden te stellen dan omdat ze dacht dat Jim het zou doen. Toen ging Johnny naar boven, om naar zijn broertje te kijken. Alice liep de woonkamer in en probeerde haar man voorzichtig wakker te schudden. Na enkele ogenblikken bewoog hij. Hij haalde een keer luidruchtig adem en keek haar toen door de spleetjes van zijn ogen aan.
'Hoe laat is het?' Hij was er niet zeker van of het nu avond of ochtend was.
'Het is even over tienen. Kom, laten we naar bed gaan.'
Hij knikte en stond wankelend op. Hij kon nauwelijks de trap op komen, en het deed haar pijn hem zo te zien.
'Ik kom zo,' zei ze, en ze ging weg om bij Bobby te kij-

ken. Hij lag in bed en Johnny las hem voor, hun hoofden naast elkaar op het kussen. De twee jongens sloegen hun ogen naar haar op en grinnikten. Wat hen betrof was het een volmaakte Thanksgiving. 'Slaap lekker alle twee,' fluisterde ze. 'Ik hou van jullie.' Ze boog zich voorover en gaf hun een kus. 'Zorg dat het niet te laat wordt voor Bobby,' maande ze. Terwijl ze de deur zachtjes achter zich sloot, vlijde Bobby zich met een gelukzalig gevoel tegen zijn broer aan. Ze liep de gang door om bij Charlotte te kijken. Die lag op haar bed naar het plafond te staren. 'Is alles goed met je, schat?' vroeg Alice met bezorgde blik, en ze ging naast haar op het bed zitten. Het was niet moeilijk te zien dat Charlotte ergens door van streek was.

'Ach, gaat wel. Het is raar om Becky over haar nieuwe vriend te horen praten. Ik geloof dat ze hem echt heel aardig vindt.' Kennelijk had het ervoor gezorgd dat Charlotte Johnny nog meer miste.

'Dat is leuk voor haar,' zei Alice, en ze meende het. 'Ze kan niet eeuwig om Johnny treuren, Charlotte. Dat zou niet goed voor haar zijn. Haar moeder zegt dat hij echt heel goed voor haar is. Johnny zou dat waarderen. Zeg, hoe zit het met je wedstrijd van morgen? Ben je er klaar voor?' Charlotte knikte, maar leek niet bijster enthousiast.

'Papa heeft nooit een wedstrijd van Johnny overgeslagen,' zei ze monotoon. Het was geen beschuldiging, maar een constatering. En al jaren won ze meer bekers en medailles dan hij had gewonnen toen hij zo oud was... 'Kom je kijken, mam?'

'Ik zou het voor geen goud willen missen.' Haar moeder boog zich naar haar over en gaf haar een kus. 'Ik zal Bobby meenemen.' Charlotte knikte zwijgend. Hoe-

veel ze ook van haar moeder hield, het zou alles voor haar hebben betekend als haar vader was gekomen, al was het maar voor één keer. Als hij zijn belangstelling maar had getoond. Maar alle twee wisten ze dat hij dat niet zou doen. Zij was Johnny niet.
Alice zei er die avond niets over tegen Jim. Dat had geen zin. Hij sliep al tegen de tijd dat ze naar bed ging, dronken van het bier en de wijn, en vadsig van te veel kalkoen. Maar 's morgens aan het ontbijt zei ze wel iets tegen hem.
'Meisjes kunnen geen basketbal spelen,' zei hij stellig, terwijl hij zijn tweede kopje koffie opdronk. 'Dat weet je toch?'
'Van Johnny's wedstrijden heb je er niet één overgeslagen,' zei ze, geïrriteerd door de toon waarop hij het had gezegd.
'Dat was anders.'
'O, was dat anders? En waarom dan wel? Omdat hij een jongen was, soms?'
'Hij was een fantastische sporter,' zei Jim kortaf. Hij had een barstende hoofdpijn.
'Nou, dat is Charlotte ook. Misschien zelfs wel beter. Dat zei Johnny altijd.'
'Hij probeerde haar gewoon een hart onder de riem te steken.'
'Waarom ga je niet zelf een keer kijken?' vroeg ze hem. Op dat moment kwamen Johnny en Bobby de keuken binnen. Bobby zei niets, zoals gewoonlijk. Johnny bleef staan om zijn moeder een kus te geven, maar Jim kon dat niet zien. 'Je hebt nog tijd zat voor kantoor. De wedstrijd begint pas om vier uur. Ze spelen in de gymzaal van haar school. Volgens mij betekent het veel voor haar als je erheen zou gaan. Johnny ging altijd. En jij

weet veel meer van het spel dan ik. Ik denk dat je aanwezigheid daar belangrijk voor haar is.'
'Ach, kom toch, Alice. Doe niet zo dom. Het zal haar niet eens opvallen.'
'Ja, dat doet het wel,' hield Alice vol. Johnny ging naast zijn vader aan tafel zitten en keek hem aandachtig aan.
'Waarom denk je er niet over?' zei Alice, terwijl ze een kom met cornflakes voor Bobby neerzette. Jim leek hem niet te zien. Voor hem was Bobby net zo onzichtbaar als Johnny. Vanaf het moment dat Bobby was gestopt met praten, deed zijn vader of hij niet bestond. Het was gewoon te pijnlijk voor hem om zijn bestaan te accepteren, en daarmee tegelijkertijd geconfronteerd te worden met de reden dat hij niet meer kon praten.
'Ik heb nog een hoop werk liggen, werk voor mijn nieuwe klanten. Daar ben ik het hele weekend zoet mee.'
Dat was in ieder geval iets positiefs, en het was niet onopgemerkt aan haar voorbijgegaan dat het geleidelijk aan beter ging met de zaak. Ze bleef hopen dat hij misschien zou stoppen met drinken – of in ieder geval zou minderen – als hij meer vertrouwen en plezier had in zijn werk. Sinds de komst van Johnny ging het weliswaar beter met hem, maar er was nog heel veel dat te wensen overliet.
Een poosje later vertrok hij naar zijn werk. De twee jongens gingen naar buiten om ergens te spelen. Alice was alleen in de keuken toen Charlotte naar beneden kwam om te ontbijten. Even later ging ze weg om te trainen. Ze leek in een betere stemming en sprak met geen woord over haar vader. Ze had niet de illusie dat hij zou komen, en Alice vertelde haar niet dat ze er met hem over had gesproken en bot had gevangen.
Om kwart voor vier stapten Bobby en zij voor in de au-

to en Johnny ging op de achterbank zitten. Hij praatte vol vuur over de wedstrijd. Bobby praatte en lachte met zijn broer, terwijl Alice glimlachend naar hen luisterde. Met hen samen te zijn, naar het gepraat van Bobby te luisteren en Johnny weer bij haar te hebben – het was als een droom die werkelijkheid was geworden.
Ze wist niet hoe lang hij bij hen zou blijven, maar het was een geschenk dat groter was dan ze ooit had gehoopt. Toen ze bij de school arriveerden, waren ze in een opperbeste stemming en keken ze uit naar de wedstrijd.
De wedstrijd liep voorspoedig voor Charlottes team. Halverwege het tweede kwart was de stand 26-15. Bobby wipte op en neer op zijn zitplaats en klapte voor Charlotte. Ze scoorde weer een driepunter, en Johnny ging uit zijn dak. Hij kon zijn ogen niet geloven, zo goed speelde ze. En toen, terwijl ze zaten te wachten op het begin van de tweede helft, zag Alice vanuit haar ooghoeken een gestalte die haar bekend voorkwam. Ze draaide zich om en zag haar man door de gymzaal in hun richting lopen. Hij maakte een wat aarzelende indruk, maar glimlachte naar hen.
'Niet te geloven,' zei ze zacht. Bobby keek naar hem en Johnny slaakte een overwinningskreet. Alice huilde bijna toen ze de uitdrukking op het gezicht van Charlotte zag bij de aanblik van haar vader. Het was de eerste wedstrijd van haar die hij bijwoonde. 'Hoe heb je dat voor elkaar gekregen?' fluisterde ze tegen Johnny vlak voor Jim bij hen was.
'Om je de waarheid te zeggen: ik weet het niet precies,' zei Johnny. 'Sinds we hier zijn heb ik eraan zitten denken en heb ik het gewenst. Misschien heeft hij me gehoord of heeft hij het gevoeld. Zoiets.' Johnny was er

nog steeds niet achter hoe hij dingen stuurde, maar hij begon te beseffen dat als hij maar hard genoeg aan iets dacht, het dan ook gebeurde. Het was of er een wonderbaarlijk soort kracht door hem heen stroomde. Als hij iemand een bepaalde gedachte influisterde, had dat blijkbaar telkens tot gevolg dat die persoon dat ook deed.

Jim had intussen de plaats bereikt waar ze zaten en ging tussen zijn vrouw en Bobby in zitten, maar hij zei niets tegen het kind. Zijn ogen waren strak gericht op Charlotte. Ineens leek hij veel belangstelling te hebben voor haar spel, alsof er een wereld voor hem openging.

'Ze speelt fantastisch,' zei Alice trots, en hij knikte.

Al bij het begin van de tweede helft scoorde ze opnieuw. Jim zei niets, hij keek alleen maar. In de laatste twee minuten scoorde ze nog een driepunter met een grandioze worp, en iedereen juichte haar toe. Haar team had korte metten gemaakt met de tegenstander en twintig treffers waren van Charlotte geweest. Na het eindsignaal droegen haar medespelers haar op hun schouders rond. En toen Alice opzij keek, zag ze Jim breed glimlachen. Ze kon zich de laatste keer dat hij er zo gelukkig uit had gezien niet eens meer herinneren. Hij was ongelooflijk trots op zijn dochter, alsof hij haar voor de allereerste keer zag, alsof hij eindelijk ontdekte dat ze talent had.

'Tjonge, wat een wedstrijd, hè?' zei hij tegen Alice. Ze knikte, en de tranen sprongen haar in de ogen. Enige tijd later voegde Charlotte zich bij hen. Ze zag er opgewonden en blij uit toen ze haar vader zag.

'Bedankt dat je gekomen bent, papa,' zei ze verlegen.

Hij stond op en sloeg zijn arm om haar schouders. 'Fantastisch gespeeld, Charlotte, ik ben echt trots op je!'

bromde hij, terwijl hij haar vriendelijk heen en weer schudde als een beer die zijn welp speels in zijn nekval pakt omdat hij trots is op alweer een nieuwe prestatie van het diertje.
Nadat Charlotte zich had omgekleed, liepen ze achter haar aan de gymzaal uit. Ze kon hem niet zien, maar Johnny had zijn arm om haar heen geslagen. Haar gedachten waren bij hem en ze maakte een peinzende en stille indruk.
Op weg naar huis haalde haar vader herinneringen op. 'Je weet vast nog wel dat Johnny ook een keer zo'n wedstrijd speelde. Hij kreeg er een medaille voor.'
Zijn belangstelling was volkomen nieuw voor haar, maar ze genoot er enorm van. 'Ik denk dat we een goede kans maken om dit jaar in de districtsfinales te spelen,' zei ze met een dankbare blik.
'Als dat gebeurt, kom ik kijken,' beloofde Jim. De wedstrijd die hij zojuist van haar gezien had, had een diepe indruk op hem gemaakt. Ze had echt aanleg voor sport. Meer dan hij ooit had gedacht.
Ze stopten onderweg om boodschappen te doen en toen ze terug waren, was het tijd om voorbereidingen te treffen voor het avondeten. Alice ging koken en Bobby ging naar buiten om te basketballen met Charlotte. Hun vader keek toe en gaf aanwijzingen, en Johnny vervulde de rol van toeschouwer. Even later liep hij de keuken binnen om met zijn moeder te praten.
'Het was gaaf van papa om te komen, vind je ook niet?' zei hij verheugd. Hij wist wat het betekende voor Charlotte. Zelfs hun vader leek de boodschap te hebben begrepen. En hij was weg geweest van Charlottes spel. Hij had het er al over dat hij naar de volgende wedstrijd wilde gaan.

'Volgens mij heb je meer macht dan je zelf denkt,' zei Alice zacht, zodat niemand het zou kunnen horen. 'Wat jij doet heeft invloed op ons allemaal... Kijk naar Bobby. En naar papa, die naar de wedstrijd is gekomen. Het is net tovenarij.' De tedere en liefdevolle manier waarop hij contact met hen had, had een heilzame uitwerking op hen allemaal, de een na de ander.
'Bobby was er net klaar voor, mam. Vijf jaar niet praten is een lange tijd.' Ze wist er alles van. Sinds het moment dat Bobby niet meer sprak, dronk Jim dagelijks en excessief.
'Wanneer vertellen we papa dat Bobby weer kan praten?' vroeg Alice. Vanaf het moment dat ze het had ontdekt, had die vraag haar voortdurend beziggehouden. Ze hoopte dat het snel zou gebeuren. Ze wist heel goed hoeveel het voor Jim zou betekenen.
'Nog niet,' antwoordde Johnny. 'Bobby is nog niet zover. Maar ik hoop dat het niet meer lang hoeft te duren. Er moeten nog wat obstakels worden overwonnen.'
'Wat bedoel je daarmee?' Ze leek uit het veld geslagen.
'Om je de waarheid te zeggen, mam: ik weet het ook niet precies. Ik ga gewoon af op mijn gevoel. Ik weet nooit hoe iets zal uitpakken. Ik denk gewoon dingen en ze gebeuren, alsof ze een eigen dynamiek hebben. Maar ze gebeuren zoals ik dacht dat ze zouden gebeuren. Ik weet wel dat Bobby een beetje moet oefenen, en dat hij het papa pas kan vertellen na de nodige voorbereiding.'
Alice wist wat een geschenk uit de hemel het voor Jim zou zijn. De wetenschap dat Bobby weer kon praten, zou hem bevrijden van zijn schuldcomplex. Het zou zijn leven, en daarmee dat van hen, misschien een andere wending geven. Ze wilde dolgraag dat het zou gebeuren. Maar Johnny hield vol dat het nog te vroeg was

om het hem te vertellen, en ergens wist ze dat ze dat moest respecteren, en Bobby deed dat ook. Blijkbaar wist Johnny wat hij deed. De resultaten waren tot nu toe goed. Voorlopig kon alleen hun moeder deelnemen aan hun gesprekken. Johnny wilde dat wat ze hadden bereikt een vastere basis kreeg. Hij wilde niet dat Bobby het gevoel zou hebben dat hij gefaald had, mocht er iets misgaan. Of dat hij zo zenuwachtig zou zijn dat hij ging hakkelen en niets kon uitbrengen.

Een halfuur later stond het eten op tafel. Jim praatte uitgebreid met Charlotte over de wedstrijd en vertelde haar hoe ze nog meer punten kon scoren als ze nog wat scherper werd. Hij deed waardevolle suggesties, en Charlotte was onder de indruk. Meer had ze nooit van hem gewild. Eindelijk was er een deur tussen hen opengegaan en had haar vader een reuzenstap haar wereld in gezet. De liefde en de waardering die ze altijd bij hem gezocht had, waren haar eindelijk ten deel gevallen.

'Ik zal het proberen, papa,' zei ze. Haar gezicht gloeide, zo opgewonden was ze door de aandacht die ze van hem kreeg. Dit gesprek verschilde nauwelijks van de gesprekken die hij altijd met Johnny had gevoerd. Hij had plotseling respect voor haar, en oog voor haar goede spel. En hij moest voor één keer toegeven dat ze een verduiveld goede sportvrouw was. Er sprak waardering uit zijn ogen, en terwijl ze naar hem luisterde zag Charlotte eruit alsof ze de Hope-diamant had gekregen. Ze voelde zich de gelukkigste vrouw ter wereld.

De volgende dag vroeg Jim of ze zin had om een glaasje fris te drinken bij het drive-inrestaurant. Hij was net thuisgekomen van zijn werk, en voor één keer had het er alle schijn van dat hij onderweg niets had gedronken. Alice glimlachte toen vader en dochter de deur uit gingen. Terwijl Jim de auto startte, stelde ze hem een aantal vragen over de sporten die hij had beoefend toen hij jong was. Even later zag Alice hen wegrijden, en ze ging naar buiten om naar Johnny en Bobby te kijken die aan het basketballen waren. Wat ze net hadden gezien, had voor hen veel weg van een wonder. Jim had nooit één moment aandacht aan Charlotte besteed, maar nu leek het erop dat hij de verloren tijd wilde inhalen.

Alice wachtte met koken tot ze terug zouden zijn, maar ze schrok toen ze op de klok keek en zag dat het al over zevenen was. Ze hadden allang terug moeten zijn. Ze waren al bijna twee uur weg, en om acht uur sloeg de paniek toe. Het werd nog erger toen om halfnegen het ziekenhuis belde. Ze zeiden dat Charlotte en Jim daar waren en dat beiden het goed maakten, behalve dan dat Charlotte een lichte hersenschudding had.

'Wat is er gebeurd?' De stem aan de telefoon legde het haar uit, en wat ze hoorde vervulde haar met afschuw. Ze hadden een ongelukje met de auto gehad. Jim was tegen een geparkeerde vrachtwagen gebotst, maar mankeerde niets. Charlotte was met haar hoofd tegen het dashboard geklapt. Nadat ze haar een tijdje in observatie hadden gehad, zouden ze haar met haar vader naar huis sturen. Zodra Alice had opgelegd, vertelde ze Johnny wat er was gebeurd. Ze had alweer even geleden een broodje voor Bobby gemaakt en na het eten was hij naar zijn kamer gegaan om wat huiswerk te maken. Dus hoefde ze niet bang te zijn dat ze hem aan het schrikken zou maken toen ze Johnny van het ongeluk vertelde. Hij floot, een langgerekt en doordringend geluid.

'Had hij drank op, mama?' vroeg Johnny. Die vraag bracht haar even in verwarring.

'Ik weet het niet. Hij leek nuchter toen hij vertrok,' zei ze naar waarheid. Maar beiden wisten dat de kans bestond dat hij ergens was gestopt om een paar biertjes te drinken – of meer. Het kon zijn dat hij net dronken genoeg geworden was om een andere auto te raken. Op dat moment besefte Alice dat ze er genoeg van had. Hij had eenvoudigweg een tweede kind in een gevaarlijke situatie gebracht. Het risico dat hij vormde als hij dronk, vond ze plotseling onverdraaglijk.

Toen Jim twee uur later met Charlotte thuiskwam, was ze nog steeds boos op zichzelf, en op hem. Ze was zelfs te boos om met hem te praten. Het enige dat ze tegen Charlotte hadden gezegd, was dat ze rust moest nemen en het een paar dagen kalm aan moest doen. Ze dachten dat ze het volgend weekend wel weer basketbal zou kunnen spelen. Maar dat deed voor Alice niet ter zake. Charlotte had wel dood kunnen zijn.

De uitdrukking op Jims gezicht sprak boekdelen. Hij zag lijkbleek. Hij zei niets tegen zijn vrouw, maar schonk zichzelf een kop koffie in. Alice bracht Charlotte naar bed. Toen ze weer beneden kwam, keek hij haar lang en aandachtig aan en probeerde haar reactie te peilen. Alice was razend, en Johnny trok zich stilletjes terug en ging naar boven, naar Bobby. Hij had met zijn moeder in de keuken zitten wachten tot Charlotte en Jim thuiskwamen. 'Besef je wel dat ze door jouw schuld dood had kunnen zijn?' zei ze woedend. Hij gaf geen antwoord. Alle twee wisten ze wat voor gevolgen een dergelijk ongeluk kon hebben. 'De kinderen stappen niet meer bij je in de auto als je niet meer verantwoordelijkheidsbesef toont,' zei ze kwaad. Verslagen ging hij aan de keukentafel zitten. Hij was zich doodgeschrokken en had Charlotte de schrik van haar leven

bezorgd. 'Drink wat je wilt, maar stap niet met mijn kinderen in de auto,' zei ze resoluut.
'Ik weet het, je hebt het volste recht om dat te zeggen en om woedend op me te zijn.' Als er één ding was dat ze beiden wisten, was het wel de tol die je kunt betalen voor zo'n ongeluk als hij net had gehad. Door het gebeuren met Bobby waren ze wel bijzonder hard met hun neus op de feiten gedrukt. Jim was het nooit te boven gekomen, en Bobby ook niet.
Alice keek hem recht aan. 'Als je weer een ongeluk met een van onze kinderen krijgt, zal ik je dat nooit kunnen vergeven,' zei ze, 'en jij jezelf ook niet.'
Hij wendde zijn gezicht af; tranen stonden in zijn ogen. 'Ja, ik weet het. Ik voel me er rot om. Je hoeft niets te zeggen, Alice. Ik heb al die dingen al tegen mezelf gezegd nadat het was gebeurd.' Ze kon merken dat hij het meende. 'Ik had gewoon een paar biertjes gedronken voor we terugreden.'
'Laat ik je één ding zeggen, Jim. Als dit nog een keer gebeurt, dan ga ik bij je weg.' Nooit eerder had ze zoiets tegen hem gezegd.
'Meen je dat echt?' Haar woorden leken hem met ontzetting te vervullen. Hij kon zien dat ze het meende. Toen het ziekenhuis belde was er iets in haar geknapt.
'Luister nou,' hield Jim aan. 'Ik heb je toch gezegd dat het niet weer zal gebeuren?' Ze wierp hem een koude, harde blik toe. Daarna liep ze de keuken uit, ging naar boven, naar haar slaapkamer en deed de deur dicht.
Jim kwam een poosje later boven en zei niets tegen haar. Alice lag al in bed en was bepaald niet in de stemming om met hem te praten. Terwijl hij stilletjes in bed glipte en het licht uitdeed, kon Alice in de kamer er-

naast Bobby en Johnny horen rondscharrelen. Maar Jim was zo uitgeput van de emoties van die avond dat hij niets leek te horen. Binnen een paar minuten viel hij in slaap.

9

De sfeer in huis was de dag na het ongeluk van Jim en Charlotte om te snijden. Jim noch Alice zei aan de ontbijttafel een woord, Bobby zweeg zoals gewoonlijk en Charlotte lag nog te slapen. Nadat Alice de tafel had afgeruimd, stond Jim een ogenblik naar haar te kijken. Hij probeerde moed te verzamelen om met haar te praten, iets waar ze duidelijk geen zin in had.

'Ik ga vandaag naar kantoor,' zei hij. 'Kun jij het aan met de kinderen? Ik bedoel met Charlotte en alles...' Hij verwachtte kennelijk een reactie van haar, maar die bleef uit. Ze draaide zich om en keek hem zwijgend aan. Zijn stem stierf weg toen hij haar smartelijke en beschuldigende blik zag. Het was duidelijk dat ze zich door hem verraden voelde.

'Luister nou toch even naar me. Ik heb het verdomme niet met opzet gedaan.'

'Het was niet nodig om te drinken toen je haar trakteerde. Je had kunnen wachten tot je weer thuis was.'

'Ik weet het,' zei hij met verstikte stem. 'Ik was dolenthousiast over de wedstrijd. Alles komt weer goed met haar, Alice. Ik heb haar niet vermoord.' Hij probeerde zich te verdedigen, maar dat had geen zin. Alle twee wisten ze dat hij fout zat.

'Als je je eigen leven in de waagschaal wilt stellen, vind ik dat niet prettig, maar is dat jouw keuze. Maar je hebt niet het recht om dat soort beslissingen voor onze kinderen te nemen.' Wat ze eruit geleerd had, was dat ze

hem niet meer kon vertrouwen met de kinderen. Noch op zijn rijvaardigheid, noch op zijn beoordelingsvermogen kon ze zich nog langer verlaten.
'Ik zal het niet meer doen,' zei hij zonder veel overtuiging. Hij voelde zich ellendig. Hij vond het vreselijk dat hij haar van streek had gemaakt en dat Charlotte gewond geraakt was.
'Nee, dat zul je inderdaad niet,' zei ze op een toon die hij nog nooit van haar had gehoord. 'Omdat ik daar een stokje voor zal steken.' Hij zei niets, en even later vertrok hij.
Johnny kwam de keuken binnen en keek bezorgd naar het gezicht van zijn moeder. 'Ik vind het afschuwelijk als jullie ruzie maken,' zei hij verdrietig.
'Dat kun je me moeilijk kwalijk nemen... Je zus had wel dood kunnen zijn!'
'Misschien heeft hij deze keer zijn lesje geleerd.' Maar Alice begon zo langzamerhand te denken dat als hij vijf jaar geleden, toen Bobby bijna was verdronken, zijn lesje niet had geleerd, hij het nooit zou leren. Misschien was zijn drinken nu een permanent onderdeel van zijn bestaan geworden en was er geen hoop op verandering meer. De vorige avond had ze zich voor het eerst bij dat idee neergelegd. En wat dat betekende voor hun toekomst, beviel haar niet. Ze had altijd gedacht dat hij uiteindelijk zou stoppen met drinken, of dat hij zijn drankgebruik drastisch zou terugschroeven. Maar dat was nooit gebeurd. Als er al iets gebeurd was, dan was het dat hij in de jaren na Bobby's ongeluk steeds meer was gaan drinken. Ze waren Johnny kwijtgeraakt en ze was niet van plan om een van de andere kinderen te verliezen. Of hem, mocht hij dronken achter het stuur willen kruipen. 'Het spijt me, mam,' zei Johnny be-

droefd. Het deed hem pijn om zijn moeder zo bezorgd te zien.
Vervolgens ging ze naar boven om te kijken hoe het met Charlotte was, en na een poosje kwam ze weer beneden om voor zichzelf ontbijt klaar te maken. 's Middags kwam Pam op bezoek. Ze had die avond weer een afspraakje met Gavin en kwam alleen langs om even gedag te zeggen. Ze was verbijsterd toen Alice haar vertelde wat er met Charlotte was gebeurd.
Toen Pam arriveerde, was Alice nog steeds in alle staten. Maar ze vertelde Pam niet dat ze gedreigd had Jim vanwege het gebeurde te verlaten. Ze praatten een tijdje, en nadat Pam was vetrokken, nam Alice Bobby mee om ergens een ijsje te gaan eten. Daarna ging ze naar huis om te koken. Om zeven uur was Jim nog niet thuis, en ze belde naar zijn kantoor. Maar daar was hij ook niet. Ze nam aan dat hij onderweg was, maar een uur later was hij er nog steeds niet, en toen sloeg de paniek bij haar toe. Onwillekeurig vroeg ze zich af of hij tegen haar had gelogen en helemaal niet naar kantoor was gegaan. Of hij in het geniep iemand ontmoet had, of misschien te dronken was om naar huis te komen. Ze had hem er nooit eerder van verdacht dat hij haar bedroog, maar besefte nu dat zijn gedrag onvoorspelbaar was wanneer hij had gedronken. Ze had het gevoel dat hun leven een nieuw dieptepunt had bereikt.
Om kwart over acht kwam Jim binnenzeilen. Hij maakte een nerveuze indruk en leek zich niet op zijn gemak te voelen. Hij scheen verbaasd, toen hij Bobby en Alice aan de keukentafel zag zitten eten. Zonder een woord te zeggen sloeg ze haar ogen naar hem op, maar ze zag ogenblikkelijk dat hij broodnuchter was.
'Het spijt me. Ik had niet op de tijd gelet,' zei hij on-

handig. 'Ik kom net van kantoor. Ik moest wat werk inhalen.' De spanning tussen hen was om te snijden.
'Ik heb je ruim een uur geleden gebeld,' zei ze met beschuldigende blik. Ze was nog steeds kwaad op hem vanwege de avond ervoor, en dit was olie op het vuur.
'Ik moest onderweg ergens zijn. Ik heb je toch gezegd dat het me speet?' zei Jim. Ze gaf geen antwoord, maar schepte het eten op zijn bord. Ondertussen keek Bobby toe. Hij kon wel zien dat er iets vreselijks tussen zijn ouders gebeurd was, en hij verdween zo snel hij kon naar zijn eigen kamer. Johnny had zich de hele middag niet laten zien en bleef ook die avond weg. Er was niemand voor Alice om mee te praten. Jim trok zich terug voor de tv, maar ditmaal – tot stomme verbazing van zijn vrouw – zonder het gebruikelijke sixpack. Ze wilde dat Johnny er was, zodat ze iemand had om mee te praten, maar hij kwam pas om elf uur weer opdagen. Jim was zonder een woord te zeggen naar bed gegaan en Alice was beneden gebleven om een kop thee te drinken.
'Waar ben jij geweest?' vroeg ze, alsof hij uit was geweest en zich niet aan de afgesproken tijd had gehouden. Ze vergat soms dat ze zich geen zorgen meer om hem hoefde te maken. Het ergste was al gebeurd.
'Ik ben uit eten geweest met Buzz en Becky. Hij heeft haar meegenomen naar een hartstikke leuke tent. Hij gaat met haar naar veel betere restaurants dan ik deed,' zei hij met een grijns. Ze moest lachen om het bizarre van de situatie. Alleen al het feit dat ze hier met hem aan de keukentafel zat, luchtte haar op en deed haar boosheid afnemen.
'Is dat ook een deel van je taak, om zo om hen heen te zwerven?' vroeg ze met geamuseerde blik. Hij maakte

in ieder geval niet de indruk dat hij erdoor van streek was. Hij leek eerder blij voor haar te zijn dan dat hij jaloers was.
'Niemand heeft gezegd dat dat niet mocht. Jee, wat praat ze veel over me, mam.'
'Ik weet het,' zei Alice ernstig. 'Je was haar grote liefde.' Alice wist dat dat nog zo was, maar dat wilde ze niet tegen hem zeggen. Het had geen zin hem daaraan te herinneren, vooral niet nu hij na zijn observaties in zo'n goede stemming leek te zijn.
'Ze hadden een leuke avond,' zei Johnny. 'Hij is aardig voor haar. Hij probeert haar zover te krijgen dat ze een beurs aanvraagt voor de universiteit van Los Angeles; dan kan ze samen met hem daarheen gaan. Ze zei dat ze het zou proberen, maar ze denkt niet dat ze wordt toegelaten. Het zou fantastisch zijn als het zou lukken.'
Alice knikte. Toen richtte hij zich tot haar met een bezorgde uitdrukking op zijn gezicht. 'Hoe ging het vanavond met papa? Is de ruzie weer bijgelegd?'
'Niet echt. Hij kwam weer laat thuis. Maar hij was tenminste nuchter.' Ze kon er open met hem over praten. Hij was oud genoeg om de spanningen die er tussen hen waren te begrijpen. Maar ze vertelde hem niet dat ze zich afvroeg of hij überhaupt wel op kantoor was geweest, en of hij haar niet bedroog.
'Geef hem een kans, mam,' verzocht Johnny haar dringend. 'Hij is er net zo ondersteboven van als jij. Hij is ten einde raad.'
'Hij moet naar de AA,' zei ze op boze en verbitterde toon.
'Misschien doet hij dat ook. Misschien heeft het ongeluk hem wakker geschud.'
'Vijf jaar geleden, na dat ongeluk met Bobby, had hij

al tot inzicht moeten komen. Het is nu wat aan de late kant.' Ze klonk kwaad en verbitterd, en Johnny zag er verdrietig uit.
'Oordeel niet te hard over hem, mama.' Hij had het nog niet gezegd, of de deur ging open en zijn vader kwam binnen. Alice deed net haar mond open om iets te zeggen en stopte halverwege de zin. Ze had gedacht dat hij sliep, maar hij was naar beneden gekomen om iets te eten. Hij zag er moe uit.
'Praten we weer in onszelf?' vroeg hij. Dat leek ze de laatste tijd wel erg vaak te doen. Hij kon het dikwijls horen als hij in de kamer ernaast zat. 'Je zou er eens met een arts over moeten praten,' zei hij. Hij liep de keuken uit en ging weer naar boven. Een paar minuten later gaf Alice Johnny een nachtzoen en volgde ze het voorbeeld van haar man.
Pas toen ze naast elkaar in bed lagen, zeiden ze weer iets tegen elkaar. 'Hoe voelde Charlotte zich vanavond?' vroeg hij bezorgd.
'Ze slaapt sinds vanmiddag. Als je morgenochtend naar haar toe gaat, kun je het haar zelf vragen.' Maar hij had zich de hele dag niet laten zien. Hij voelde zich te ongemakkelijk om met haar te praten. Hij had haar de vorige avond, onderweg van het ziekenhuis naar huis, wel duizend keer gezegd hoe het hem speet, en zij had hem verzekerd dat haar niets noemenswaardigs mankeerde. Maar hij besefte hoeveel risico hij had genomen, en daardoor was hij meer van streek dan zij. Ze wilde de dingen thuis niet erger maken dan ze al waren, en ze had hem nog een keer bedankt voor zijn komst naar haar wedstrijd en voor het uitje, waardoor hij zich schuldiger voelde dan ooit.
Hij deed het licht uit. 'Ik ga morgen met haar praten,'

mompelde hij. Hij was klaarwakker en lag nog lange tijd naast Alice over zijn leven na te denken.
Alice sliep al als een blok toen hij zich eindelijk naast haar neervlijde en in een diep slaap viel, die tot de ochtend duurde. Toen hij 's morgens bij Charlotte binnenliep, sliep ze nog altijd. Alice was naar de kerk en Bobby zat alleen in de keuken. Hij had met Johnny zitten praten, maar zweeg toen hij zijn vaders voetstappen hoorde naderen.
Jim zei niets tegen hem, schonk zichzelf een kop koffie in en pakte de krant, alsof Bobby helemaal niet bij hem in de kamer was. Johnny zat stil toe te kijken. Hij zat roerloos bij hen aan tafel en leek in gedachten verzonken, alsof hij zich op iets concentreerde. Nadat hun vader de krant had gelezen, legde hij hem neer en keek Bobby aan, alsof hij plotseling een idee had gekregen.
'Je moeder zal zo wel weer terugkomen,' zei hij, alsof hij het tegen een verdwaald kind had dat hun keuken was binnengelopen. Hij had geen idee meer hoe hij met hem moest praten. Omdat Bobby niet kon antwoorden, leek het Jim weinig zinvol om met hem te praten, en dat was Bobby niet ontgaan. Er waren dingen die Bobby tegen hem had willen zeggen, maar hij wist dat hij dat niet kon. En zelfs nu hij weer was begonnen te praten tegen Johnny en zijn moeder, wist hij dat zijn vader het niet zou begrijpen.
'Wil je iets eten?' vroeg Jim. Hij wist niet precies wat de ernstige uitdrukking in de ogen van het kind betekende, maar het leek erop of de jongen voor één keer een poging deed om hem te begrijpen. 'Heb je al ontbeten?' Bobby knikte en Jim zuchtte. 'Het is niet gemakkelijk om met je te praten,' zei Jim, die voor het eerst in jaren geen kater had. Hij had al bijna twee da-

gen geen druppel drank meer gehad. 'Waarom geef je geen antwoord, of probeer je het tenminste niet? Denk je niet dat je zou kunnen praten, als je zou willen? Ik durf te wedden dat je het kunt.' Hij wilde dat het kind tegen hem praatte, maar het zweeg in alle talen.
'Je probeert het niet eens,' zei hij. Hij maakte een ontgoochelde indruk. Johnny raakte teder de hand van zijn broertje aan, alsof hij hem wilde verzekeren dat alles oké was. Hij hoefde niet bang te zijn voor zijn vader. Johnny wilde zijn jongere broer duidelijk maken dat alles goed zou gaan.
Jim stond op en verliet met tranen in zijn ogen de kamer. Ze groeiden uit elkaar. Bobby zat nog lange tijd in de keuken. Daarna ging hij stil de trap op, naar Johnny's kamer. Hij bleef daar een hele tijd, praatte fluisterend met Johnny en keek naar zijn bekers en medailles. Toen liet hij iets vallen, en even later deed zijn vader de deur van Johnny's kamer open en zag Bobby daar staan.
'Wat doe je daar? Je hebt daar niets te zoeken. Kom, ga naar je eigen kamer,' zei hij streng. Tranen welden op in Bobby's ogen. Johnny fluisterde tegen hem dat hij met hem mee zou gaan en dat hij niet bang moest zijn voor zijn vader. Alles zou goed komen. Het probleem was dat de kamer van Johnny voor Jim op den duur een soort heiligdom was geworden. Hij wilde dat alles in de kamer op zijn plaats bleef en dat er niets verwijderd werd.
Bobby liep zonder iets te zeggen de kamer uit. Toen hij weg was, liep Jim langzaam de kamer in. Het was er schoon, alles was in orde. Alice stofte iedere week grondig af, en Jim kwam er niet vaak genoeg om te merken of er de laatste tijd dingen verplaatst waren. Johnny had veel tijd op zijn kamer doorgebracht met het bekijken

van zijn spullen en paperassen. Er lagen foto's van hem en Becky, er waren brieven en er was een dagboek dat hij als kind had bijgehouden. Het lag er allemaal nog net zoals het had gelegen toen hij stierf. Na een poosje ging Jim op het bed zitten. Terwijl hij rondkeek, stroomden de tranen over zijn wangen. Johnny was nu vijf maanden dood en het was heel pijnlijk om te zien dat de kamer er nog net zo uitzag als toen hij nog leefde. Zijn schoolblazer hing nog over de stoel waarover hij hem, de dag nadat hij hem gedragen had, had gehangen. Lange tijd zat Jim daar, tot hij uiteindelijk opstond en de deur zachtjes achter zich dichtdeed. Hij had de deur nog niet dichtgedaan, of hij zag Alice de trap op komen. Ze wist waar hij was geweest, maar zei niets. Ze liep vlak langs hem heen en ging de kamer van Charlotte binnen om een kijkje bij haar te nemen. Die was net wakker. Ze zei dat ze zich beter voelde en trek had. Ze trok een oude roze kamerjas aan en ging naar beneden om te ontbijten. Ze glimlachte toen ze haar vader zag. Ze genoot nog na van het enthousiasme dat hij had getoond tijdens en na haar wedstrijd. De hersenschudding die ze daarna had gekregen, deed er voor haar minder toe.
'Hoe gaat het nu met je, Charlotte?' vroeg hij. Zijn stem klonk nog schor van het huilen van zoëven.
'Een stuk beter. En met jou, papa?' Ze keek hem aan, en er was een vuur in haar ogen dat er vroeger niet was geweest. Ze had haar overwinning met hem gedeeld!
'O, goed.' Behalve dan dat Alice twee dagen nauwelijks tegen hem gesproken had en Bobby naar hem keek alsof hij een vreemde was. En dat zijn handen trilden, sinds hij twee dagen geleden was gestopt met drinken.
De rest van de dag ging iedereen zijn eigen gang, en om

vier uur vertrok Jim. Twee uur later kwam hij terug, een stuk opgeruimder. Hij repte met geen woord over waar hij was geweest en Alice was bang dat hij was weggegaan om een andere vrouw te ontmoeten, net zoals ze dag ervoor ook had gevreesd. Maar ze maakte er geen opmerkingen over en hield hem in het oog om te zien of hij een sixpack zou pakken. Maar dat deed hij niet. En in plaats van voor de tv neer te ploffen, ging hij naar buiten om de achtertuin aan te harken. Onder het avondeten deed hij aarzelende pogingen om met haar te praten. Charlotte kwam naar beneden en ging bij hen zitten. Ze had het alweer over basketbal en dat ze de volgende week weer wilde gaan trainen.
'Pas als de artsen groen licht geven,' zei Alice vermanend. Tegen het einde van de maaltijd ging Jim helemaal op in een gesprek met zijn dochter en praatten ze over haar speelstijl en over de fantastische wedstrijd die ze twee dagen geleden had gespeeld.
'Dank je, papa,' zei ze. Ze maakte een blije indruk. Ze hadden haar verteld dat er een grote kans was dat ze aan het eind van het seizoen zou worden uitgeroepen tot de meest waardevolle speelster van haar team. 'Kom je volgende week naar mijn wedstrijd?'
'Ik doe mijn best,' zei hij. Hij glimlachte behoedzaam, eerst naar zijn dochter, toen naar zijn vrouw. Maar Bobby scheen nog steeds niet voor hem te bestaan. De frustratie van die morgen dat hij niet in staat geweest was om met Bobby te communiceren had hem ontmoedigd. Vervolgens gingen vader en dochter naar de zitkamer. Alice en de twee jongens bleven in de keuken om de boel op te ruimen. Hoewel het drietal zachtjes praatte, kon Charlotte haar moeder vanuit de andere kamer horen.

'Ze praat tegenwoordig de hele tijd in zichzelf,' nam Charlotte haar vader in vertrouwen. Ze maakte een bezorgde indruk. Net als haar moeder was het haar opgevallen dat haar vader die avond niet dronk, maar ze maakte er geen opmerking over.
'Volgens mij praat ze tegen Bobby,' zei hij met een zucht. 'Ik begrijp niet hoe ze het kan. Het is lastig om tegen iemand te praten die geen antwoord geeft. Ik weet niet wat ik tegen hem moet zeggen,' vertrouwde hij haar toe. Even voelde ze een sterke genegenheid voor hem opkomen.
'Bobby laat je weten wat hij denkt als je hem aandacht geeft,' zei Charlotte zacht. Het was raar, maar ze had het gevoel dat ze voor het eerst van haar leven contact met haar vader had. Nu hij naar haar wedstrijd was komen kijken, geloofde ze dat hij haar echt waardeerde en op haar gesteld was.
'Denk je dat hij ooit weer zal kunnen praten?' Het was vreemd om het haar te vragen, maar hij beschouwde haar nu als buitengewoon wijs voor haar veertien jaar. 'Mama gelooft dat er een dag komt dat hij weer zal praten. Ze zegt dat het tijd kost.' Vijf jaar, dacht Jim bij zichzelf, en wat komt daar nog bij? 'Johnny praatte altijd veel tegen hem. Je moet af en toe eens met hem basketballen, papa.'
'Vindt hij dat leuk?' vroeg Jim verrast. Hij had er geen idee van wat zijn jongste zoon leuk en niet leuk vond, en had nooit een poging gedaan om erachter te komen. Ze knikte. 'Hij is behoorlijk goed voor zo'n klein joch.'
'En jij bent ook niet mis,' zei hij glimlachend. Ze zaten op de bank en hij sloeg een arm om haar heen. Na een tijdje zette hij de televisie aan, en ze keken naar een football-wedstrijd. Even later kwam Bobby bij hen zit-

ten. Johnny zat lui onderuitgezakt in een stoel en genoot van het tafereeltje met zijn broertje en zijn zus. Zo nu en dan glimlachte Bobby naar hem. Het was of de aanwezigheid van Johnny hem stimuleerde om zijn krachten te beproeven.
Toen Alice uit de keuken kwam en naar hen keek, glimlachte ze. Hoewel ze nog steeds kwaad was op haar man, moest ze toegeven dat de zaken er zo op het oog beter voor stonden. Sinds zijn ongeluk met Charlotte was Jim gestopt met drinken. Het was haar opgevallen, maar ze was bang om er tegen hem iets over te zeggen. De sfeer in het hele huis leek te zijn veranderd. 's Avonds in bed dacht ze erover na, en ook de volgende dag, nadat ze Bobby bij school had afgezet.
Ze deed wat naaiwerk en zong daarbij een liedje, toen de telefoon ging. Ze vroeg zich af of het Jim was. Doorgaans was hij de enige die haar overdag belde. Alle anderen die ze kende werkten. Maar hij had haar in geen maanden gebeld. Sinds de dood van Johnny sloot hij zich voor iedereen af, ook voor haar.
Maar toen ze de telefoon opnam, bleek het niet Jim te zijn, maar Bobby's school. Hij was van de schommel gevallen en had zijn pols gebroken. De juf was met hem op de eerstehulpafdeling en zei dat ze hem gauw thuis zou brengen. Het ergerde Alice dat ze haar niet eerder hadden gebeld, maar de onderwijzeres zei dat daarvoor de tijd had ontbroken, omdat hij meteen naar het ziekenhuis moest. Het deed Alice verdriet dat ze niet bij hem had kunnen zijn. Tien minuten later was hij thuis. Hij keek een beetje versuft; ze hadden hem een pilletje tegen de pijn gegeven. Terwijl de onderwijzeres beneden op haar wachtte, stopte ze hem in bed en liet hem aan de zorg van Johnny over.

'De arts van de eerste hulp zei dat hij snel weer de oude is. Het gips mag er over vier weken af.' Ze wekte de indruk dat ze nog iets te zeggen had en leek te aarzelen. 'Ik wil u geen valse hoop geven en ik kan het mis hebben,' waagde ze zich op glad ijs, 'maar ik dacht dat ik hem "au" hoorde zeggen toen hij viel.' Had Alice niet geweten dat hij weer begonnen was met praten, dan zou ze dolblij zijn geweest, maar nu trok ze alleen maar een bedenkelijk gezicht en zei ze tegen de onderwijzeres dat ze het misschien verkeerd gehoord had. Ze zei dat ze zich vaak had verbeeld dat hij iets zei, eenvoudig omdat ze graag wilde dat hij sprak. Ze was nog niet zover dat ze iedereen deelgenoot kon maken van het feit dat hij kon praten. Ze wilde hem beschermen, totdat hij weer meer zelfvertrouwen had.
De onderwijzeres knikte. 'Het kan zijn dat ik het me heb verbeeld, maar ik denk het niet.' Johnny had erop aangedrongen dat Bobby het stapje voor stapje zou doen en dat ze het nog aan niemand zouden vertellen. En Alice wilde dat Jim het wist voor ze het de anderen vertelden. 'Misschien moet u hem nog eens laten testen,' stelde de onderwijzeres voor. Voor de vrouw wegging, bood Alice haar een kop thee aan en bedankte ze haar.
Alice had nu beide kinderen thuis: Charlotte met een lichte hersenschudding, Bobby met een gebroken pols. Toen Jim 's avonds thuiskwam – laat als altijd – besteedde hij overdreven veel aandacht aan hen. Hij dronk nog steeds niet, en toen de kinderen eindelijk naar boven gingen, keek Alice hem aan.
'Waar hang jij tegenwoordig na je werk uit?' vroeg ze met ogen vol argwaan. Hij zag er fitter uit, leek in een beter humeur en maakte een nuchterder indruk dan in

jaren het geval was geweest. Maar hij kwam iedere avond later thuis dan gewoonlijk.
'Nergens,' zei hij, zich op de vlakte houdend. Toen zag hij in haar ogen waar ze bang voor was, en hij had met haar te doen. 'Ik had na mijn werk een paar keer een bijeenkomst, meer niet.'
'Wat voor soort bijeenkomst?' vroeg ze, terwijl ze in zijn ogen naar aanwijzingen zocht. Het duurde een hele tijd voor hij antwoord gaf. Maar ten slotte keek hij haar recht aan, met een blik zo open als in tijden niet het geval was geweest.
'Doet dat ertoe?'
'Voor mij wel. Heel veel. Heb je een verhouding?'
Hij pakte haar hand en schudde zijn hoofd. 'Zoiets zou ik niet doen, Alice. Ik hou van je. Het spijt me dat alles hier zo in de vernieling geraakt is... Johnny... het ongeluk met Bobby... en nu weer Charlotte die gewond geraakt is... We hebben er hier wel een puinhoop van gemaakt. En, nee, ik heb geen verhouding. Ik ga naar bijeenkomsten van de AA. Toen ik die vrachtauto raakte, begreep ik dat het tijd was om te stoppen met drinken.'
Alice keek naar hem. Haar ogen vulden zich met tranen, en hij boog zich naar haar over en kuste haar. Het was een droom die werkelijkheid werd.
'Dank je.' Meer kon ze niet zeggen. En 's avonds toen ze naar bed gingen, deden ze de deur van hun slaapkamer op slot, zodat de kinderen hen niet zouden storen. Johnny was nergens te bekennen. Hij had zich opgerold aan het voeteneinde van Bobby's bed en sliep.

10

December was voor ieder lid van het gezin een drukke maand. Met Jims zaak ging het steeds beter. Hij had drie nieuwe klanten, boven op de klanten die hij er een paar maanden eerder bij had gekregen. Het leek of zijn werklast vertienvoudigd was. Alice wist niet zeker of het kwam doordat hij met drinken was gestopt, maar hij leek harder te werken en meer te verdienen. En hij was ontspannener dan hij in jaren was geweest. Hij nam zelfs wat middagen vrij, of ging in ieder geval eerder weg, om een aantal van Charlottes wedstrijden te zien. Hij was ervan overtuigd dat ze een veelbelovende sportcarrière tegemoet ging en was op dat gebied haar belangrijkste raadgever. Hij gaf nu minstens zo hoog van haar op als hij vroeger van Johnny had gedaan.
Charlotte koesterde zich in de warmte van zijn genegenheid. Ze was net vijftien geworden en de plaatselijke krant had haar foto op de sportpagina afgedrukt. Ze had plotseling meer aandacht voor jongens. Een van hen, een jongen uit een plaatselijk jongensteam, sprong er voor haar uit. Maar het waren vooral haar vaders gezelschap en zijn waardering waar ze naar smachtte, alsof ze compensatie zocht voor al die verloren jaren waarin hij haar praktisch genegeerd had. Hij had erover gepraat op bijeenkomsten van de AA en het zelfs weer goed gemaakt bij haar in zijn 'negende stap'. Hij had gehuild toen hij zijn excuses aanbood en Charlotte had perplex gestaan. Hij had verklaard

dat het nooit bij hem was opgekomen dat ze, ook al was ze een meisje, de fantastische sporter kon zijn die ze was. Maar ook al was dat niet zo geweest, dan nog zou hij van haar gehouden hebben. Hij was gewoon lange tijd zo afgestompt geweest dat hij het contact met haar verloren had. Hij had zich verontschuldigd voor alle keren dat hij haar had afgewezen, haar had ontkend, en Johnny om zijn prestaties had geprezen en haar niet. Zijn spijtbetuiging leidde ertoe dat er een band tussen hen ontstond die sterker was dan ze ooit hadden gehad. En toen hij haar genoegdoening gaf, wenste hij dat hij ook Bobby genoegdoening kon geven. Maar hij kreeg nog steeds een raar gevoel als hij met het kind praatte. Hij hoefde maar naar hem te kijken of alle schuldgevoelens kwamen weer boven. Over het ongeluk dat hij had veroorzaakt door zijn drankgebruik.

Alice vond het geweldig om te zien hoe de band tussen Charlotte en Jim groeide. Ze praatte er met Johnny over. En ze praatten over het wonder dat hun ten deel was gevallen toen Jim zich had aangemeld bij de AA. Zonder het Johnny te hoeven vragen wist Alice dat hij Jim ertoe had aangespoord, net zoals hij het hart van zijn vader na al die jaren had geopend voor Charlotte. 'Dat was een hele prestatie,' zei ze tegen Johnny toen hij haar op een dag met de was hielp. 'Of eigenlijk een wonder – twee zelfs.' Hij was gestopt met drinken en hij was Charlotte gaan liefhebben en waarderen zoals hij nog nooit had gedaan.

En dat Bobby weer praatte, was nog een wonder waarvoor Johnny eer toekwam, hoewel Bobby nog steeds met niemand anders praatte dan met Johnny en zijn moeder. Maar Johnny zei dat Bobby zou gaan praten

als hij er klaar voor was. Volgens hem moest hij eerst wat meer zelfvertrouwen krijgen. En zo te zien kwam dat moment met de dag dichterbij. Hij glimlachte nu veel, durfde vaker zijn kamer uit, leek meer aanwezig in het gezin en deed het heel goed op school. Als hij samen met zijn moeder en met Johnny was, praatte hij honderduit en leek hij ik weet niet hoeveel te zeggen en te vertellen te hebben.
'En jij, mam?' vroeg Johnny haar, terwijl zijn moeder aan de appeltaart begon die ze die avond als toetje kregen. 'Wat zou jij nou echt graag willen?' Ze leek nooit iets voor zichzelf te vragen.
'Jou,' zei ze, en ze draaide zich naar hem om. 'Ik zou willen dat je voorgoed bij me terugkwam.' Maar alle twee wisten ze dat dat onmogelijk was, anders zou hij het gedaan hebben. 'Maar ik ben al blij met de tijd die je hier bent.' Hij was er nu twee maanden, maar als Alice rondkeek in haar gezin, zag ze dat hij bijna alle wonderen waarvoor hij was gekomen had verricht, en het was onvermijdelijk dat het haar verontrustte. Zodra zijn werk klaar was, zou hij hen weer moeten verlaten. Ze hadden er nooit over gesproken, maar nu voelde ze dat zijn werk er bijna op zat. 'Je verdwijnt toch niet zomaar, hè?' vroeg ze met een bezorgde blik, terwijl ze het deeg uitrolde voor de appeltaart.
'Nee, mam. Dat kan ik je niet aandoen,' zei hij zacht. 'Ik laat het je wel weten.' Het was al moeilijk genoeg geweest om de schok die zijn plotselinge dood had veroorzaakt te overleven. Ze kon de gedachte niet verdragen om dat nog een keer mee te maken. 'Je zult er deze keer op voorbereid zijn,' antwoordde hij haar, haar gedachten lezend.
'Jouw vertrek zal altijd onverwacht komen,' zei ze kop-

pig. Er stonden tranen in haar ogen. 'Ik wilde dat je hier kon blijven, zoals nu, voor altijd.'
'Je weet dat ik dat zou doen als ik het zou kunnen, mama,' zei Johnny. Hij liep naar haar toe en sloeg een arm om haar heen. 'Maar ik beloof dat je er klaar voor zult zijn als het zover is. Het zal heel anders zijn dan de vorige keer.' De herinnering aan die eerste dagen, aan de totale verbijstering en de helse pijn die het verlies had veroorzaakt, deed haar huiveren.
'We mogen ons gelukkig prijzen dat we jou de afgelopen twee maanden bij ons hebben gehad,' zei ze zacht. Ze probeerde zichzelf voor te houden dat ze tevreden moest zijn met wat ze had. 'Heb je al alles gedaan waarvoor je hier bent gekomen?'
'Ik geloof van niet,' zei hij. Hij klonk een beetje onzeker. Het was hem nooit helemaal duidelijk geweest waarvoor hij hier was, maar naarmate alles zich ontvouwde, was het niet moeilijk om alle goede dingen te zien die hij had gedaan. Zelf had hij het gevoel dat hij de hem opgelegde taken een voor een volbracht. Zijn opdracht was hem nooit precies uitgelegd, maar het was hem min of meer duidelijk wat er van dag tot dag gedaan moest worden. 'Ik denk dat we allebei wel weten wanneer dat zal zijn.' Ze hadden beiden het gevoel dat dat moment niet ver weg was. Door hem gade te slaan bij zijn werk, was ook zij intuïtiever geworden.
'En ben je dan van plan gewoon spoorloos te verdwijnen?' vroeg ze hem. In haar ogen stond paniek te lezen.
'Mam, ik heb je toch gezegd dat ik je dat niet zal aandoen?' zei hij. Hij zag er ineens veel volwassener uit. 'Dat is hun bedoeling niet.' Ze hadden hem gestuurd om beter te maken, niet om pijn te doen.

'Mooi,' zei ze. Ze klonk opgelucht. 'Het is altijd prettig als je van tevoren een seintje krijgt.'
'Ik denk dat we allebei wel weten wanneer de tijd gekomen is. Maar ook al had hij dat gevoel nog niet, zij had het al wel. Jim was na jaren alcoholist geweest te zijn gestopt met drinken; Charlotte en hij hadden een band als nooit tevoren – hij was nu zeer betrokken bij haar sportieve activiteiten en ging als het maar even kon naar iedere wedstrijd – en Bobby praatte weer, ook al was het in het geheim. 'Volgens mij moet ik alleen nog de laatste hand aan een paar dingen leggen.'
'Nou, haast je maar niet,' zei ze met een grijns, en hij moest om haar lachen. 'Misschien kun je de zaak een klein beetje traineren.'
'Ik zal het echt heel langzaam doen, mam, ik beloof het.' Hij sloeg zijn armen om zijn moeder heen.
'Ik hou van je,' fluisterde ze in zijn hals.
's Middags ging hij naar Becky. Ook bij haar thuis verliep alles voorspoedig. Becky en Buzz zagen elkaar vaak, en telkens wanneer Alice haar zag, maakte ze een gelukkige indruk. Ze zag er niet meer zo ontredderd uit als een paar maanden geleden. Ze lachte nu veel meer en leek meer ontspannen. Hetzelfde gold voor Pam. Haar verhouding met Gavin was tijdens de feestdagen tot bloei gekomen en hij had het al over verhuizen, om dichter bij haar te zijn.
Op een middag was Alice met Johnny de kerstboom aan het versieren – waarbij ze kerst-cd's draaiden die ze samen meezongen – toen Jim vroeg van zijn werk kwam. Hij had wat papieren vergeten en had besloten om dan maar thuis te werken. Hij glimlachte toen hij Alice hoorde zingen en zag dat ze de kerstboom aan het versieren was.

'Hoe is het je gelukt om dit jaar in je eentje de piek met ster er bovenop te krijgen?' Het viel niet mee om daar een verklaring voor te vinden en ze zei maar dat de postbode haar had geholpen. En Jim leek het verhaal te slikken. Johnny gniffelde en grijnsde van oor tot oor toen hij haar zo hoorde praten. Zoals ieder jaar was hij degene geweest die alle versieringen aan de hoogste takken had bevestigd.
'Dat was slim bedacht,' plaagde Johnny haar. Ze lachte en ze zei iets tegen hem toen ze dacht dat Jim niet luisterde. Maar toen hij weer terug in de woonkamer was, waren zijn wenkbrauwen gefronst.
'We moeten iets laten doen aan dat in-jezelf-praten van je. Anonieme in-jezelf-praters, misschien bestaat daar ook wel een zelfhulpgroep voor,' zei hij plagerig. 'Charlotte maakt zich zorgen om je. Ze denkt dat het door Johnny komt.'
'Dat klopt wel zo'n beetje, denk ik. Het zal wel weer overgaan.' Te snel, vreesde ze. Wanneer Johnny vertrok, zou er niemand zijn om mee te praten. Niet op die manier tenminste. Jim zou er natuurlijk zijn, en de kinderen. Maar haar oudste was altijd haar hartsvriend geweest, en dat was nog steeds zo. Nu meer dan ooit.
'Ik denk dat het een gewoonte is geworden,' zei ze tegen haar man, en hij verdween weer met zijn attachékoffertje en een stapel papieren.
Hij was er nog mee bezig toen Charlotte thuiskwam van school, en Alice ging Bobby ophalen en nam Johnny mee. Onderweg naar Bobby's school zaten ze gezellig te kletsen en Johnny moest lachen om wat zijn vader had gezegd over hun gesprekken.
'Tegen de tijd dat je weggaat denkt iedereen dat ik gek ben,' klaagde zijn moeder met een trieste glimlach.

'Dat is zo slecht nog niet,' zei Johnny, die languit op de achterbank lag, met zijn voeten uit het raam. Hij was een stuk langer dan zijn vader. 'Dan kun je doen en laten wat je wilt. "Gekke mevrouw Peterson." Dat kan heel bevrijdend zijn, mam. Het klinkt als een goede grap.'
'Niet voor mij. Ik wil niet dat de mensen denken dat ik geschift ben.' Maar het was een prettig soort gekte om bij hem te zijn. Die voortdurende mengeling van ernst, luim en vreugde gaf een heel goed gevoel.
De afgelopen maanden had Johnny een nog groter inzicht gekregen in mensen en gevoelige situaties. Hij had op dat gebied een verbazingwekkende wijsheid ontwikkeld. Hij begreep zijn vader beter dan ooit; hij leek Bobby's gevoelens en behoeftes moeiteloos te registreren; hij kon Charlotte recht in haar hart kijken en wist precies wat ze dacht en waar ze zich zorgen over maakte. En de band met zijn moeder was hechter dan ooit. Soms wisten ze beiden, zonder erover te praten, wat de ander dacht. Dat hadden ze altijd al gekund, maar nu was het nog frappanter. Ze hadden een band die wat er met hen was gebeurd oversteeg en die nooit verbroken kon worden. Ze wist dat ze hem nooit meer zou verliezen, zelfs niet wanneer hij weer weg was. Die wetenschap gaf troost, en alle twee glimlachten ze op precies dezelfde manier toen Bobby huppelend de school uit kwam gerend met een doos kerstversieringen die hij tijdens de handenarbeid eigenhandig had gemaakt.
Ze gaf haar jongste een kus, en hij wurmde zich naast Johnny op de achterbank. 'Wat een timing!' zei ze. 'Johnny en ik hebben vandaag de kerstboom opgetuigd.'
Bobby keek hen stralend aan. 'Hoe ziet hij eruit?' vroeg hij.

'Niet gek. Maar met al jouw mooie kerstversieringen wordt hij nog veel mooier.' Ze glimlachte liefdevol naar hem. Hij was haar net zo dierbaar als Johnny, hij was alleen anders. En Charlotte was ook haar oogappel. Maar Johnny maakte voor altijd deel uit van haar ziel.
Bobby hield zijn mooiste versieringen omhoog. 'Vind je ze mooi, mama?' vroeg hij.
'Ja, ik vind ze mooi, schat. We hangen ze meteen in de boom als we thuis zijn.' Het duurde nog twee weken voor het Kerstmis was. Iedereen in het gezin had het druk. Jim organiseerde een kerstborrel op kantoor, en hij had zo aan het einde van het jaar nog een heleboel belastingzaken te regelen voor zijn vele klanten. Charlotte was bezig haar basketbalseizoen af te ronden en deed mee aan de play-offs. Ook zat ze in het sterrenteam en haar vader en zij keken verlangend uit naar die wedstrijd. Bobby zou een engel spelen in het toneelstuk van zijn school. Het enige dat hij hoefde te doen was een paar keer over het toneel lopen en met zijn vleugels flapperen. Hij hoefde niet te praten, wat logisch was, maar vervulde toch een duidelijke rol in het geheel. De week van het toneelstuk was het pak dat Alice voor hem had gemaakt klaar.
Jim en zij gaven dit jaar geen feestje, maar ze hadden de familie Adams uitgenodigd om kerstavond bij hen te vieren. Pam zou Gavin ook meenemen. Hij zou een week vrij nemen en de feestdagen met haar en de kinderen doorbrengen.
En toen het dan zover was, was iedereen in een opperbeste stemming. Alice had eierpunch voor hen gemaakt. Hun eierpunch bevatte alcohol, die van Jim niet. Hij was zo opgewekt dat Pam zei dat hij wel een ander mens leek. Gavin en hij konden het onmiddellijk goed met el-

kaar vinden, en na korte tijd prees Jim Charlotte de hemel in, net zoals hij dat altijd met Johnny had gedaan. Terwijl Alice meeluisterde, gingen haar gedachten onwillekeurig terug naar wat er was gebeurd. Het was precies dat waar Charlotte altijd hevig naar verlangd had en wat ze van hem had willen krijgen. Haar leven was er enorm op vooruitgegaan sinds het moment dat haar vader eindelijk naar een wedstrijd van haar was gegaan. De enige die nog niet geaccepteerd werd, was blijkbaar Bobby. Het lukte Jim nog steeds niet om op een ontspannen wijze met hem om te gaan. Bobby kwam pas tot leven als hij alleen was met zijn moeder en zijn broer. Dan kletste hij honderduit, alsof hij verloren tijd moest inhalen.

Becky zag er die avond bijzonder aantrekkelijk uit in haar zwartfluwelen jurk en op haar pumps. Beide waren een cadeautje van Gavin. Voor Pam was hij buitengewoon gul, en hij vond het heel prettig om haar te helpen bij de verzorging van de kinderen. Hij vond het leuk om dingen voor hen te kopen en dingen met hen te doen. Zelf had hij geen kinderen, en nu had hij in één keer het complete gezin waar hij altijd van had gedroomd.

Pam en hij zouden pas na het diner met hun aankondiging komen. Gavin had zojuist zijn glas geheven en alle aanwezigen een vrolijk kerstfeest gewenst. Becky's jongste broertje had gebulderd van het lachen en gezegd dat dat behoorlijk afgezaagd was. Maar hij had het op een goedhartige manier gezegd, die aangaf dat ze goede vrienden waren. Alle kinderen uit het gezin Adams vonden hem heel aardig. En dat gold zeker voor Pam. Ze hield van hem. Misschien niet zoveel als ze van Mike had gehouden – met hem was ze per slot van rekening vele jaren getrouwd geweest, en ze hadden vijf

kinderen gekregen – maar genoeg om haar leven met hem te willen delen. Toen iedereen aan het toetje en de koffie zat, vertelden ze dat ze van plan waren om in juni te trouwen.
Ze wilden de tijd hebben om een huis te zoeken, en hij had aangeboden om de kinderen op een betere school te doen. De kosten betaalde hij. Hij wilde het allerbeste voor hen, en voor Pam. Of beter gezegd: het best mogelijke. Hij was een buitengewoon edelmoedig mens. En iedereen uit het gezin Peterson feliciteerde hen. Alice zag vanuit haar ooghoeken Johnny naast de kerstboom op de grond zitten. Hij keek naar hen. Zoals altijd kon hij zijn ogen niet van Becky afhouden. Ze zag er lieftalliger uit dan ooit en leek weer helemaal de oude, hoewel er een nostalgische blik in haar ogen kwam, telkens als ze over dingen praatte die ze met Johnny had gedaan. Maar ze was erg jong en had nog een heel leven voor zich. Johnny wist het en hij was zich ervan bewust dat ze nu gelukkig zou zijn zonder hem.
'En jij?' vroeg Alice aan Becky. 'Jij hebt toch nog geen trouwplannen, of wel soms?' zei ze half in scherts.
'Ik mag hopen van niet! Daar is ze veel te jong voor!' riep Johnny uit de woonkamer, en Bobby barstte in lachten uit. De anderen keken verbaasd naar hem, terwijl Alice een waarschuwende blik in zijn richting zond. Meteen hield hij weer zijn mond. Een ogenblik later liep ze de woonkamer in om Johnny de les te lezen.
'Heb je soms te diep in de eierpunch gekeken? Hoe haal je het in je hoofd om zo te gillen?'
'Niemand kan me horen, mam, behalve Bobby en jij. Ik kan gillen en zingen zoveel ik wil,' zei hij. 'Ik kan zelfs radslagen maken', en hij liet haar zien hoe je dat deed, waarbij hij bijna tegen de salontafel klapte.

'Volgens mij moet je nog wat oefenen.'
'Ik heb gewoon lol,' zei hij glimlachend tegen haar. Ze schudde haar hoofd en ging terug naar de anderen. Toen ze weg was, deed Johnny naast de kerstboom wat opdrukoefeningen en zong hij dat het een lieve lust was.
'Wat heb je daar uitgespookt?' vroeg Jim vriendelijk. Pam had toen ze weg was de opmerking gemaakt dat Alice nog vaak heel veel in zichzelf praatte. En Charlotte had gezegd dat dat tegenwoordig vaak gebeurde wanneer ze alleen in de keuken of in de slaapkamer was. Het had geklonken alsof ze tegen een vriend praatte. Zoiets. 'Volgens mij verbeeldt ze zich dat ze met je broer praat,' had Jim tegen haar gezegd, maar meer nog dan de anderen maakte hij zich zorgen om haar. Ogenschijnlijk was ze heel evenwichtig en gezond, maar het was iedereen duidelijk dat ze niet hersteld was van de dood van haar zoon en dat dat misschien ook nooit zou gebeuren, vooral niet als ze tegen hem 'praatte'. Het was vooral schrijnend omdat het hun eerste Kerstmis zonder hem was.
Jims vraag leek haar niet te verontrusten. 'O, ik ging gewoon even kijken of de lichtjes in de kerstboom wel brandden,' zei ze. Het klonk geloofwaardig, maar gaf geen verklaring voor het gedempte praten dat Jim had gehoord. Hij had in de deuropening naar haar staan luisteren. Hij hoopte maar dat ze er uiteindelijk overheen zou komen en haar evenwicht zou hervinden. Hij voelde zich meer met haar verbonden dan in lange tijd het geval was geweest.
Vervolgens hadden ze het over de bruiloft, en alle verdere plannen, van Pam en Gavin. Die wisten al precies wat voor huis ze wilden. Zodra ze dat hadden gevonden en het hadden ingericht, zouden ze het huis van

Pam en zijn huis in Los Angeles te koop zetten. De kinderen zeiden dat ze het naar vonden om hun oude huis te verlaten, maar ze waren dolenthousiast over alles wat Gavin tegen hen had gezegd. Hij had zelfs beloofd dat hij een boot zou kopen om de komende zomer mee op het meer te varen.

Toen richtte Pam zich tot Becky en vroeg haar of ze hun wilde vertellen wat haar nieuwtjes waren. Ze bloosde even. Johnny zag het, en paniek maakte zich van hem meester. Hij was weer aan tafel gaan zitten, op een van de plaatsen die de broertjes en zusjes van Becky net hadden verlaten. Die waren met z'n allen naar boven gegaan om op Charlottes kamer video's te bekijken.

'Ze gaat toch niet trouwen, hè mam?' vroeg hij met een angstige uitdrukking op zijn gezicht. Niet dat hij haar kon tegenhouden, of ook maar de wens had om dat te doen, maar in bepaalde opzichten vond hij het nog steeds afschuwelijk dat ze met iemand anders ging, en hij wist dat hij zich daaroverheen moest zetten. Hij wilde dat ze gelukkig werd, maar iedere keer als hij aan het naderend afscheid dacht, voelde hij een steek. Hij had haar in contact gebracht met Buzz en hij misgunde haar haar geluk niet. En toch, als hij naar haar keek, wilde hij maar één ding: haar nog één keer in zijn armen nemen. Maar dat kon niet, omdat ze hem niet kon zien. Af en toe hield hij haar hand vast, maar dat kon ze niet voelen. De enigen die hij kon knuffelen en kussen waren Bobby en zijn moeder. En onwillekeurig vroeg hij zich af wat er gebeurd zou zijn als Becky in staat was geweest hetzelfde te zien als zij. Misschien was dat de reden dat het niet was toegestaan. Als het wel had gemogen, zou het nog moeilijker voor hem zijn om te vertrekken als de tijd daar was.

'Ja, vertel, Becky, wat is jouw nieuws?' spoorde Alice haar aan. Terwijl Johnny wachtte, zag hij eruit alsof hij elk moment uit elkaar kon barsten.
'Ik heb een beurs,' zei ze heel bescheiden. 'In januari ga ik aan de universiteit van Los Angeles studeren. Buzz' collegejaar begint dan ook weer. Hij heeft me geweldig geholpen om de beurs te krijgen,' zei ze. Ze straalde van geluk.
'Nee, dat heeft híj niet gedaan,' zei Johnny humeurig. 'Dat heb ík gedaan.' Alice keek naar hem en knikte, alsof ze het met hem eens was, maar ze kon niets zeggen met al die anderen om zich heen.
'Dat is fantastisch, schat,' zei ze. Pam was vast trots op haar. Becky had een volledige studiebeurs gekregen en was van plan om toegepaste kunst als hoofdvak te nemen. Alice bezat minstens tien portretten van Johnny, die Becky door de jaren heen getekend had. Ze had veel talent. Ze zei dat ze ook van plan was om colleges kunstgeschiedenis te volgen en dat ze na haar afstuderen tekenlerares wilde worden. Johnny had altijd gevonden dat dat een beroep zou zijn dat volmaakt bij haar paste. De eerste stap was nu gezet.
Na het eten ging Pam naar de keuken om Alice te helpen met opruimen, en de twee mannen gingen naar de zitkamer om over zaken, fiscale aangelegenheden, politiek en sport te praten. Johnny zat bij hen. Het waren geen onderwerpen die hem erg interesseerden, maar hij was bang dat hij zijn moeder in verlegenheid zou brengen als hij ook naar de keuken zou verhuizen en daar opmerkingen zou maken die haar tot een antwoord zouden verleiden. Het leek hem beter om uit haar buurt te blijven, dus zat hij maar in zijn stoel te luisteren naar het gesprek tussen zijn vader en Gavin. Toen zag hij

Becky de trap op gaan om zich bij de anderen te voegen, en intuïtief volgde hij haar. Maar ze ging niet naar Charlottes kamer, waar de anderen naar video's zaten te kijken. In plaats daarvan sloop ze naar Johnny's kamer, deed de deur open en glipte stil naar binnen, zodat het niemand opviel. Ze deed de deur achter zich dicht, bleef een poos staan en ademde de vertrouwde geur in. Toen ging ze op zijn bed in het maanlicht liggen en sloot haar ogen. Hij stond vlak naast haar en raakte teder haar hand aan, maar ze kon het niet voelen. Ze voelde het alleen in haar hart. Ze kon voelen dat hij bij haar was, en het was of er een vreemde rust over haar neerdaalde.

Ze kende zijn kamer heel goed – en hem, zijn levensgeschiedenis, al zijn dromen, al zijn hoop en verlangens, alle geheimen die ze met elkaar hadden gedeeld.

'Ik hou van je, Johnny,' fluisterde ze, en ze sloot haar ogen, terwijl hij naar haar keek.

'Ik hou ook van jou, Becky, en ik zal altijd van je blijven houden.' Toen zei hij het, en het was alsof een grotere kracht dan hijzelf het hem liet zeggen: 'Ik wil dat je gelukkig wordt. Je krijgt een fantastische studietijd... En als je bij Buzz wilt zijn en hij je gelukkig maakt...' Hij stikte bijna in zijn woorden, maar wist ze toch uit te brengen. 'Ik wil gewoon dat je een goed leven met hem krijgt. Met hem of met iemand anders. Je verdient het, Becky. Je weet het: ik zal altijd van je blijven houden.' Ze knikte, alsof ze hem kon horen, kon horen in haar hoofd, in haar hart, in de dromen die ze eens hadden gedeeld. Ze voelde zich warm en vredig, en pas na lange tijd stond ze op. Ze liep wat in de kamer rond, beroerde foto's waarop hij stond en raakte zijn lievelingsvoorwerpen en trofeeën aan. Lange tijd stond ze te

kijken naar de foto van hem die ze het allermooist vond. Zij had dezelfde foto thuis naast haar bed staan, maar er stond er nu ook een van Buzz. Maar nu, terwijl ze naar Johnny's foto keek, was het alsof ze hem echt kon zien.
'Ik zal altijd van je blijven houden, Johnny,' fluisterde ze.
Er stonden tranen in zijn ogen toen hij haar antwoordde. 'Ik ook van jou, Becky. Ik wens je een stralende toekomst,' zei hij, en het kwam uit de grond van zijn hart. Ze knikte, waarna ze naar de deur liep. Daar bleef ze lange tijd staan. Vervolgens verliet ze zonder nog een woord te zeggen de kamer en deed de deur zachtjes achter zich dicht. Ze voelde zich vredig, vrij en blij, iets wat haar sinds zijn dood niet meer was overkomen. Op weg naar Charlottes kamer, waar de anderen zaten, droogde ze haar tranen en glimlachte. Op de een of andere rare manier had ze het gevoel dat ze zojuist afscheid van Johnny had genomen – op een manier waarmee ze kon leven. Niet op de abrupte, hartverscheurende wijze van zes maanden geleden, maar met een gevoel van liefde, harmonie en loslaten. Ze wist dat ze hem nu altijd bij zich droeg. Maar ze was klaar om verder te gaan.
Om halftwaalf, op het moment dat de Petersons zich opmaakten om naar de nachtmis te gaan, vertrok het gezin Adams. Iedereen omhelsde en kuste elkaar, en wenste de ander een vrolijk kerstfeest. Het hele spul verdween in het personenbusje dat Gavin met het oog op de kinderen had gekocht. Bij het wegrijden werden ze door de familie Peterson uitgezwaaid. Die waren nu nog maar met z'n vieren. Charlotte en Jim hadden duidelijk het gevoel dat er iemand ontbrak. Maar op weg naar

de kerk zat Johnny tussen Charlotte en Bobby op de achterbank. Ondertussen kletsten zijn ouders en zette zijn vader een cassettebandje met kerstliedjes op. Al waren de feestdagen dit jaar dan in zeker opzicht pijnlijk voor het hele gezin, ze mochten ook de goede dingen niet uit het oog verliezen, en die waren er de laatste tijd veel geweest.
Jim zat een deel van de mis te soezen, Charlotte kon niet stilzitten en Alice zat met haar ogen dicht naar de muziek te luisteren. Af en toe deed ze ze open en glimlachte ze naar Johnny, Bobby en Charlotte. Zij waren haar echte kerstgeschenken, net zoals Jim dat nu was. Nog nooit was ze zo blij met hen geweest.
De enige smet op haar dag was dat ze op de terugweg last kreeg van haar maag. Ze klaagde er tegen Jim over.
'Het is toch niet weer die maagzweer?' vroeg hij met bezorgde blik. Ze was zo ongelooflijk ziek geweest in oktober dat hij haar bijna was kwijtgeraakt, en de herinnering vervulde hem met angst. Maar ze stelde hem snel gerust.
'Ik heb gewoon te veel kalkoen gegeten,' zei ze vlug, 'en Pams vleespastei was nogal machtig.' Maar eenmaal thuis dacht ze er niet meer aan en maakte ze aanstalten om Bobby naar bed te brengen. Hij was klaarwakker en aarzelde toen ze zijn hand pakte. Hij sloeg zijn ogen naar haar op, alsof hij haar iets wilde vragen. Wat hij met die blik zeggen wilde, wist ze niet. Hij stond daar maar te staren, eerst naar haar en toen naar zijn vader. Plotseling vroeg ze zich iets af. Ze keek naar Johnny. Hij glimlachte naar Bobby en knikte. En ineens begreep Alice het, en tranen welden in haar ogen op. Ze keek haar man teder aan. 'Ik geloof dat Bobby je iets wil zeggen,' zei ze, terwijl Jim en Charlotte naar

hem keken. Al die tijd hield Bobby zijn blik op zijn vader gevestigd. Het was of hij hem, heel lang al, iets verschuldigd was, en nu zou hij het aan hem gaan geven. Een mooier kerstgeschenk kon Jim zich niet wensen.
'Vrolijk kerstfeest, papa,' zei Bobby zacht. Jim staarde hem aan, en terwijl de anderen toekeken, nam hij de jongen met een onderdrukte snik in zijn armen en drukte hem tegen zich aan.
'Wat is er met je gebeurd?' vroeg Jim met schorre stem. 'Hoe kan dit?' Hij keek van zijn zoontje naar zijn vrouw. Charlotte huilde. En Johnny lachte welwillend naar hen. Hij was apetrots op iedereen. Op zijn broertje. Op zijn vader. Op Charlotte, vanwege alles wat ze gedaan en bereikt had. Op zijn moeder, vanwege haar incasseringsvermogen, vertrouwen en inzet.
'Ik begon gewoon te praten tegen...' Bobby ving de waarschuwende blik van zijn moeder op, die hem vertelde dat hij voorzichtig moest zijn en hun geheim niet moest prijsgeven, '... tegen mezelf... Vanaf Thanksgiving ben ik aan het oefenen.'
'En dat vertel je me nu pas?'
'Ik kon niet anders,' zei Bobby met een glimlach. 'U was nog niet zover.' Jim dacht een ogenblik over die woorden na en knikte toen instemmend.
'Misschien was ik inderdaad nog niet zover. Maar nu wel.' Het was ineens of die vijf pijnlijk stille jaren er nooit geweest waren.
'Ik hou van je, papa,' fluisterde Bobby, terwijl zijn vader hem tegen zich aan hield.
'Ik hou ook van jou, lieve jongen,' zei Jim. Hij pakte Bobby's hand, en Alice keek toe terwijl de twee hand in hand de trap op liepen. Ze had het gevoel dat dit het ware wonder van Kerstmis was.

11

Op kerstmorgen kwam Bobby met veel lawaai de trap af gestormd om zijn kerstcadeaus te zoeken onder de kerstboom, en even later sloten Charlotte en zijn ouders zich bij hen aan. Jim had voor Charlotte allerlei sportartikelen gekocht die ze graag had willen hebben. Een van de cadeaus was een automatische ballenwerper, zodat ze in het voorjaar haar slagen zou kunnen oefenen. Hij wist dat het apparaat een grote wens van haar was.
Voor Alice had hij een paar truien, een nieuwe jas en een gouden armband gekocht. Ze vond alles even mooi. Ze had hem een mooi leren attachékoffertje gegeven en een suède jasje, dat hij had gezien en graag wilde hebben. En hij vond het schitterend.
Bobby had een berg speelgoed gekregen. Johnny had meegeholpen het uit te zoeken. Hij vond alles even prachtig en zat tevreden te knutselen. Hij zette dingen in elkaar, deed er batterijen in, en even later liep het zaakje. Al hun geschenken waren een groot succes. En pas bij het klaarmaken van het ontbijt – zoals ieder jaar op kerstmorgen aten ze ook nu weer bananenwafels – voelde Alice zich weer misselijk. Ze besefte dat het door de opwinding kwam en door de zorg over het feit dat Johnny binnenkort zou vertrekken. Maar ze probeerde er niet aan te denken toen ze hun het ontbijt serveerde dat ze ieder jaar zo lekker vonden. Toen ze zich omdraaide om naar Johnny te kijken, zag ze dat hij er ver-

moeid uitzag. Hij had zoveel werk voor hen verzet dat het hem had uitgeput. Toch leek hij in een goede stemming en keek hij watertandend naar haar wafels.
'Mmm, wat zou ik daar zin in hebben, mam,' zei hij. Hij was weer net een kind, en Alice glimlachte naar hem. Zij zou ook wel willen dat hij ze kon eten. Ze wilde heel veel dingen: dat hij niet was doodgegaan, dat hij nu niet weg hoefde, dat ze hem altijd bij zich kon houden. Maar ze wist dat dat niet kon. En het zou niet eerlijk tegenover hem zijn. Hij moest verder, en doen waartoe hij geroepen was. Dat was zijn bestemming. Maar het leek haar niet eerlijk dat hij was gestorven, dat hij zo jong was geweest toen hij hen verliet.
Jim en Charlotte namen nog een portie wafels, en Bobby praatte honderduit. Hij liet zijn aanwinsten zien, vertelde hoe ze werkten en hoe je ze in elkaar zette. Zijn vader grijnsde van oor tot oor.
'Nou, je kunt wel zeggen dat hij de verloren tijd aan het inhalen is, hè?' zei Jim, nadat de kinderen de keuken hadden verlaten, op Johnny na, die nog steeds aan de keukentafel zat en genoot van de bedwelmende geur van de wafels die zijn moeder had gemaakt. Dit jaar had ze er niet één gegeten; ze had er alleen maar wat in geprikt, maar behalve Johnny had niemand het gemerkt.
'Wat is volgens jou de reden dat hij weer begonnen is met praten?' vroeg Jim, terwijl hij bewonderend naar haar keek. Hij boog zich naar haar over en kuste haar. Nog nooit had ze er in zijn ogen zo mooi uitgezien.
'Nou, wat denk je?' hield hij aan. Voor hem was het als een verlossing gekomen. Bobby had vijf jaar moeten boeten voor zijn stommiteit, en nu was Jim bevrijd van wat in zijn ogen een vloek was geweest die op het

hele gezin had gerust. Het was een geschenk uit de hemel.
'Volgens mij was het een wonder,' zei Alice eenvoudig, en Jim bestreed het niet. Hij was alleen maar dankbaar dat het was gebeurd.
Vervolgens ging hij met Charlotte naar een footballwedstrijd, en rommelde Alice wat in de keuken. Ten slotte kwam Bobby bij hen zitten. Hij had de helft van zijn speelgoed meegesleept.
'Is alles goed met je, mam?' vroeg Johnny haar. Zo te zien maakte hij zich zorgen.
'Ja, prima,' zei ze, meer uit gewoonte dan omdat het waar was. Ze voelde zich niet geweldig, maar ze wilde niet dat hij zich bezorgd maakte. Ze wist dat het haar maag was en vond het een afschuwelijke gedachte dat ze misschien weer een maagzweer zou krijgen. Maar ze was niet van plan om het te zeggen en de feestdagen voor hem of de anderen te vergallen. 'Eerlijk waar, er is niets.'
'Ik ben daar minder zeker van dan jij,' zei Johnny verstandig. 'Ik zou morgen maar naar de dokter gaan als ik jou was.'
'Dat zal ik zeker doen, als ik er dan nog steeds last van heb,' beloofde ze.
Het werd een luie middag, met eten en tv kijken, en 's avonds was er de ham die ze traditiegetrouw met Kerstmis maakte. Ze had weinig eetlust en was er niet helemaal bij toen ze het avondeten opdiende. De hele middag had ze last gehad van het besef dat de wonderen die ze hadden ervaren en de zegeningen die hun ten deel waren gevallen zo talrijk waren geweest dat er niets meer te doen viel voor Johnny. Becky had haar studiebeurs en een nieuwe vriend die aardig voor haar was.

Pam had een prachtvent ontmoet, die van haar en van haar kinderen hield, en met wie ze ging trouwen. Charlotte en Jim hadden een band die hechter was dan iemand ooit had kunnen dromen. Hij was gestopt met drinken. Bobby was weer gaan praten. En zij had drie maanden mogen doorbrengen met haar geliefde zoon, die veel te snel en zonder waarschuwing van haar was weggenomen. Allemaal hadden ze een geschenk gekregen dat niet in geld viel uit te drukken en dat de loop van hun leven voor altijd zou veranderen. Er viel niets meer te doen. En hoe meer ze erover nadacht, hoe sterker ze besefte dat Johnny haar spoedig zou verlaten. Het was een vooruitzicht dat haar hart pijn deed.

'Je gaat weg, hè?' vroeg ze toen ze na het eten alleen met hem in de keuken was. Alle narigheid was achter de rug en het was een lange, gezellige dag geweest. Zelfs het gemis van Johnny was voor Charlotte en Jim niet zo pijnlijk geweest als anders. Blijkbaar leerden ze ermee te leven. En Johnny had meteen vanaf het begin aan Bobby uitgelegd dat hij op een dag weg zou gaan; hij was hier alleen maar even op bezoek.

'Waarschijnlijk wel,' zei Johnny eerlijk. 'We zullen weten wanneer de tijd gekomen is. Jij zult het ook weten. Dat heb ik je toch gezegd? Je zult er klaar voor zijn.' Hij klonk zeker van zijn zaak, maar ze had liever een ander antwoord gehoord.

'Dan is het dus nog géén tijd,' zei ze, en ze klonk kinderlijker dan hij. 'Want ik ben er niet klaar voor. Dit zal te veel pijn doen.' De tranen liepen over haar wangen, en Johnny keek haar verdrietig aan.

'Je moet niet huilen, mam. Ik zal nooit ver weg zijn. Dat weet je toch?'

'Ik wil je bij me hebben, net zoals nu.'

'Dat weet ik. Ik wil ook bij jou zijn. Dat willen we allemaal. Maar dat kan niet. Dat staan ze niet toe. Ik moet teruggaan.' Hij was hier nu een aantal maanden en meer tijd zou hem niet geschonken worden.
'Dat is gemeen van ze,' zei ze, en hij sloeg zijn armen om haar heen. 'Wij hebben je nodig... Ik heb je nodig... en Bobby en papa, en Charlotte.'
'Ik hou van je,' zei hij alleen maar, en even ving ze een glimp op van wat hij bedoelde. De woorden leken plotseling enorm, even groot als de gevoelens die ze vertegenwoordigden. Ze waren groter dan ze ooit had gedacht. De woorden omringden haar als wolken en verzachtten alle pijn die ze ooit had gevoeld, alle pijn waar ze zo lang ze zich kon heugen bang voor was geweest.
Ze sloeg haar ogen naar hem op. 'Je ziet er moe uit,' zei ze tegen hem. 'Je weet dat ik ook van jou hou.'
'Ja dat weet ik, mam. Dat heb ik altijd geweten.' Ze was opgelucht het te horen. Ze hielden elkaar een poosje innig vast en liepen toen langzaam de keuken uit om zich bij de anderen te voegen. Iedereen zag er verzadigd, moe en slaperig uit. En even later ging het hele gezin naar boven. Daar wensten ze elkaar nogmaals een vrolijk kerstfeest, waarna ze naar hun kamers gingen.
Jim en zij gingen vroeg naar bed. Terwijl de kinderen al sliepen, lagen zij nog wat na te praten over hoe mooi het kerstfeest was geweest, ondanks het pijnlijk gemis van Johnny. En ze voelde zich een beetje schuldig toen Jim het erover had, omdat alleen zij en Bobby wisten dat Johnny er toch bij was geweest.
Ze lagen in het donker en Jim had zijn arm om haar heen geslagen. 'Weet je, ik heb een goed gevoel over hem. Het is alsof hij zich op een plaats bevindt waar

hij gelukkig is. Waarom weet ik niet, het is gewoon een gevoel,' zei hij.
'Ik heb hetzelfde,' zei ze met een zucht, en toen lagen ze gewoon een tijdje naast elkaar met de armen om elkaar heen. Even later viel Jim in slaap, maar Alice kon de slaap niet vatten. Hoe lang de dag ook was geweest, hoe moe ze ook was, ze was klaarwakker. Het enige waar ze vanavond aan kon denken, was Johnny. Het was al ver na middernacht toen ze ten slotte opstond en de gang op liep. Ze zou naar beneden gaan om een beker warme melk te maken om haar zenuwen te kalmeren en haar maag tot rust te brengen. Ze had haar kamer net verlaten toen ze Johnny uit de slaapkamer van Charlotte zag komen. Hij was een hele tijd bij haar geweest en had haar hand vastgehouden toen ze in slaap viel. Nu droomde ze van hem en glimlachte.
Daarvoor was hij bij Bobby op zijn kamer geweest. Ze hadden een lang gesprek gehad over wat het betekende om verder te gaan en de mensen van wie je hield met je mee te dragen in je hart.
'Je gaat weer weg, hè?' had Bobby hem gevraagd, maar hij had er niet bezorgd bij gekeken. Hij wekte de indruk dat hij het begreep, ook al was hij nog een kind.
'Ja, ik ga weg.' Johnny was altijd eerlijk tegen hem.
'Kom je weer terug?' Bobby's ogen waren groot van nieuwsgierigheid.
'Misschien, maar ik denk van niet.'
'Bedankt dat je ervoor hebt gezorgd dat ik weer kan praten,' zei Bobby, en ze hielden elkaar een hele tijd vast. Bobby zou zijn broer nooit vergeten, en in veel opzichten leken ze sterk op elkaar.
Terwijl ze de trap af liepen, vertelde Johnny zijn moeder over dit alles. Toen hield hij stil en liep terug om

nog een ogenblik in zijn kamer rond te kijken. Hij wist dat hij hen allemaal net zo zou missen als zij hem. En hij herinnerde zijn moeder eraan dat ze zijn schoolblazer aan Bobby moest geven als hij oud genoeg was om hem te dragen. In de tussentijd kon Charlotte hem lenen. Zodra hij het had gezegd, sprongen de tranen haar in de ogen. Het was weer tijd om afscheid te nemen. De eerste keer had ze geweigerd om afscheid van hem te nemen. Misschien was hij daarom wel bij hen teruggekomen: omdat ze geweigerd had hem te laten gaan. Of misschien was hij teruggekomen om zaken zorgvuldig af te wikkelen. En hij had alles afgemaakt. Alle losse eindjes waren aan elkaar geknoopt, zo keurig en zo goed als alles wat hij in zijn leven had gedaan. Hij had zoveel gedaan voor zoveel mensen, en dat in enkele maanden tijd. Ondanks zichzelf moest ze eraan denken hoe gezegend ze waren.

Johnny keek toe hoe ze de melk warm maakte. Daarna ging hij bij haar zitten. Toen ze haar melk op had, sloeg ze haar ogen naar hem op. Ze wist nu waarom ze niet had kunnen slapen. Hij ging hen verlaten. Ze kon zichzelf er niet eens toe brengen om naar de woorden te zoeken waarmee ze afscheid zou nemen. De gedachte eraan was te pijnlijk. Maar hij keek naar haar en schudde zijn hoofd.

'Hè, niet op die manier, mam. Deze keer moet je me laten gaan. Ik zal hier altijd bij je zijn, ook al kun je me niet zien.'

'Ik zal het zo missen dat ik niet meer met je kan praten. Wat moet ik zonder jou doen?' vroeg ze met tranen in haar ogen.

'Je krijgt het druk met papa en de anderen.' Hij glimlachte naar haar en sloeg zijn armen om haar heen. Na

een tijdje stonden ze op. Ze keek naar hem met een blik waarin alles lag wat ze voor hem voelde en voor hem gevoeld had sinds de dag waarop hij was geboren.
'Ik hou van je, Johnny.'
'Ik ook van jou, mam... meer dan je ooit zult weten... meer dan ik je ooit heb verteld.'
'Je bent een goeie jongen en ik ben heel trots op je... Dat zal ik altijd zijn.'
'Ik ben ook trots op jou.' Toen wendde hij zich af, alsof hij iets vergeten was, en haalde een klein, rechthoekig doosje uit zijn zak en gaf het haar. Hij had het onhandig ingepakt. 'Dit is voor jou en papa. Het zal jullie voor een heel lange tijd gelukkig maken. Je hele leven, hoop ik.'
'Wat is het? Zal ik het nu openmaken?' Ze was nieuwsgierig wat erin zat.
'Nee, doe dat straks maar,' zei hij resoluut, en hij liet het in de zak van haar kamerjas glijden.
Toen liep hij langzaam naar de deur, en ze volgde hem. Lange tijd stonden ze daar in het duister en knuffelden elkaar. Hij had zijn armen om haar heen geklemd, net zoals hij als kind had gedaan. Ze kon voelen hoe de warme melk die ze had gedronken haar verwarmde. Ze voelde zich vredig, moe en op een vreemde manier op haar gemak. Hij hield haar lange tijd vast en kuste toen haar wang. Ze kuste hem nog een laatste keer en zag hem toen de nacht in lopen. Ze wilde hem tegenhouden, of achter hem aan rennen, maar ze wist dat ze dat niet kon. Hij draaide zich één keer om en glimlachte naar haar. En zij glimlachte naar hem, en de tranen liepen haar over de wangen. Maar het was deze keer een ander soort droefheid. Het was droefheid vermengd met verlangen, vreugde, en dankbaarheid vanwege alles wat

hij voor haar was geweest. Ze knipperde heel eventjes met haar ogen om ze vrij te maken van tranen, en verdwenen was hij. Rustig liep hij door de nacht, naar een plek waarheen ze hem niet kon volgen.
Ze stond lange tijd in de deuropening en deed de deur toen zachtjes achter zich dicht. Het was onvoorstelbaar moeilijk te geloven dat hij weg was, bijna net zo moeilijk als het de eerste keer was geweest. Maar hij had gelijk: het was anders. Ze miste hem nu al en ze wist niet zeker of ze er wel zo klaar voor was als hij had gezegd. Haar hart was vol van hem toen ze weer naar boven liep, naar haar slaapkamer. Toen ze naar Jim keek, die vredig lag te slapen, wist ze dat Johnny altijd bij hen zou zijn. En toen ze haar kamerjas uitdeed, herinnerde ze zich het kleine geschenk dat Johnny haar had gegeven.
Ze ging naar de badkamer en deed het licht aan. Toen ze het pakje had geopend, schaterde ze van het lachen. Het was een mal geschenk. Gewoon een grap en niets belangrijks. Het was een zwangerschapstest, van het soort dat je bij de drogist koopt. Het was een hint van hem om iets te doen waar zij en Jim in jaren niet over hadden gedacht. Ooit hadden ze overwogen een vierde kind te nemen, maar na Bobby's ongeluk hadden ze besloten dat ze daartoe niet in staat waren. En terwijl ze het doosje in haar hand hield, was het of ze in haar hoofd de stem van Johnny hoorde, die haar aanspoorde om hem te gebruiken.
'Kom, mama... kom... gebruik hem...' De woorden waren zo duidelijk dat het leek of hij nog steeds bij haar stond, en ze vroeg zich af of dat zo was, maar ze kon hem niet meer zien of horen. Ze kon hem alleen voelen, in haar hart. De afgelopen maanden waren een

krankzinnige tijd geweest, maar een tijd waaraan ze altijd met warme gevoelens zou terugdenken. En terwijl ze erover dacht, moest ze plotseling denken aan de maagzweer, waarvan ze de laatste paar dagen zo zeker van geweest was dat hij weer was teruggekomen, en aan de verontrusting die ze had gevoeld. En ze begon zich af te vragen of Johnny haar niet echt iets probeerde te vertellen met zijn malle geschenk. Ze kon zich niet voorstellen dat het waar was, maar ze besloot haar opwelling te volgen en het te gebruiken, hoewel ze het eigenlijk dwaas van zichzelf vond.

Toen ze vijf minuten later de test in haar hand hield en het resultaat aflas, wist ze dat de stem inderdaad had geklonken alsof hij naast haar had gestaan. Hij was nog steeds bij haar, en zou altijd bij haar zijn. En zijn geschenk aan haar, zijn wonder, was niet alleen zijn bezoek geweest. Er groeide een nieuw leven in haar. Een nieuw perspectief opende zich voor haar. Als ze eraan dacht, voelde ze dat hij vlak bij haar was. Het ene leven was geëindigd en een ander leven begon. En Johnny, het kind van wie ze zoveel had gehouden en dat ze nooit was kwijtgeraakt, haar zoon en beste vriend, zou ze altijd meedragen in haar hart.